CRIAR FILHOS NO SÉCULO XXI

Proibida a reprodução total ou parcial em qualquer mídia
sem a autorização escrita da editora.
Os infratores estão sujeitos às penas da lei.

A Editora não é responsável pelo conteúdo deste livro.
A Autora conhece os fatos narrados, pelos quais é responsável,
assim como se responsabiliza pelos juízos emitidos.

Consulte nosso catálogo completo e últimos lançamentos em **www.editoracontexto.com.br**.

Vera Iaconelli

CRIAR FILHOS NO SÉCULO XXI

editora**contexto**

Copyright © 2019 da Autora

Todos os direitos desta edição reservados à Editora Contexto
(Editora Pinsky Ltda.)

Montagem de capa e diagramação
Gustavo S. Vilas Boas

Coordenação de textos
Luciana Pinsky

Preparação de textos
Lilian Aquino

Revisão
Daniela Marini Iwamoto

Dados Internacionais de Catalogação na Publicação (CIP)

Iaconelli, Vera
Criar filhos no século XXI / Vera Iaconelli. –
1. ed., 6ª reimpressão. – São Paulo : Contexto, 2024.
128 p.

Bibliografia
ISBN: 978-85-520-0153-9

1. Pais e filhos 2. Parentalidade 3. Educação de crianças
4. Psicologia I. Título

19-1281   CDD 649.1

Angélica Ilacqua CRB-8/7057

Índices para catálogo sistemático:
1. Parentalidade

2024

EDITORA CONTEXTO
Diretor editorial: *Jaime Pinsky*

Rua Dr. José Elias, 520 – Alto da Lapa
05083-030 – São Paulo – SP
PABX: (11) 3832 5838
contato@editoracontexto.com.br
www.editoracontexto.com.br

SUMÁRIO

Para começar 7

Parentalidade no século XXI 11

Filhos? Melhor não tê-los! Mas... 19

Satisfação garantida ou seu filho de volta? 27

"Não sabia que tudo iria mudar" 35

Casais sobrevivem à chegada dos filhos? 43

Existe sexo depois do nascimento dos filhos? 49

Escolha sua perda 57

O novo homem e a paternidade 65

A mínima diferença entre os sexos 73

Por que o feminismo hoje? 81

Polêmica de gênero 89

Vida virtual em família 97

Educar em tempos depressivos 105

Qual nossa função, afinal? 111

Elogio aos pais e às mães 123

PARA
COMEÇAR

―――

Este texto se dirige a pais, mães, educadores e curiosos que estejam às voltas com a criação de filhos em tempos de grandes incertezas. Os temas foram selecionados de uma infinidade de questões que hoje se apresentam a nós. Costumamos dizer que vivemos em tempos difíceis. O curioso é que as pessoas dizem isso desde que o mundo é mundo, ou seja, nunca houve momentos fáceis para a humanidade. Mas há que se reconhecer que alguns momentos encerram crises excepcionais, que mudam o destino do mundo para sempre. A invenção da escrita, por exemplo, foi duramente criticada por Sócrates por impedir qualquer possibilidade de diálogo entre leitor e escritor. A prensa, que popularizou os livros, revolucionou o acesso às informações e foi um dos acontecimentos responsáveis pela criação da ideia de infância como a conhecemos hoje. Afinal, a necessidade de preparar as crianças para a leitura dificultava seu acesso direto ao mundo e permitiu que houvesse um tempo de preservação de sua inocência. Lembremos a Revolução Industrial, que nos trouxe a luz elétrica, os veículos a vapor e a fotografia, deixando o cidadão comum estupefato com tanta novidade. São períodos de transição que implicam revoluções culturais, sociais e econômicas e a insegurança de não sabermos nada sobre o dia de amanhã. Vistas de longe, podem parecer preocupações ultrapassadas e pouco realistas, mas podemos entendê-las se pensarmos que estamos justamente vivendo um período de transição equivalente.

A revolução promovida pela internet nos desnorteia da mesma forma. É tão impossível prever o que nos espera, quanto é necessário que façamos nossas apostas. Afinal, nunca tivemos bola de cristal e ainda assim investimos no futuro a cada família que criamos. Viver uma revolução global traz mais perguntas do que respostas, mas é importante saber se estamos fazendo as perguntas certas. O que é necessário para educar uma criança, independentemente da época na qual ela nasceu? O que é necessário para educar uma criança em nosso tempo, com suas contradições e velocidades alucinantes? Mais do que pensar as crianças, tem sido uma constante no meu trabalho pensar o lugar dos pais, pois entendo que quando o avião despressuriza é mais inteligente que os adultos coloquem as máscaras em si mesmos antes de colocar nos pequenos.

Os capítulos conversam entre si, pois é impossível falar de criação de filhos sem tocar em temas como época, gênero, sexualidade, família, sofrimento, limites, escolhas, garantias. Trata-se mais de apostar numa inquietação que nos leve a refletir do que em manuais sobre como fazer. Mesmo porque, no que tange a criação de humanos, manuais só servem para fazer crer que há fórmulas prontas e a experiência prova que não. Em outras palavras: livros como este que você tem em mãos podem ser lidos de duas formas: como um saber pronto e acabado que deve ser adquirido – a pior forma – ou como um exercício de reflexão que ajude a se autorizar em seu papel e em sua função junto aos filhos. O manual seria seu pior uso, a inquietação, seu melhor.

PARENTALIDADE NO SÉCULO XXI

Foi-se o tempo em que os humanos lutavam para não se extinguir. Os riscos dos partos, a fome, as fragilidades da infância, as forças da natureza, tudo colocava em risco a aventura humana sobre a Terra. Em função disso, cada criança que nascia era tratada com zelo total para garantir a sobrevivência da espécie. Com as aquisições tecnológicas, que dominam grande parte da natureza, e com o excedente alimentar da maioria do mundo desenvolvido, o jogo virou e a superpopulação é que passou a ser uma ameaça, entre outras, para o homem. Desde então, temos buscado, no sentido contrário, formas eficientes de controlar a natalidade indesejada. O excesso populacional e algumas garantias de sobrevivência revelaram que temos muitos outros interesses para além da reprodução e da busca desenfreada por alimentos, até então escassos. Esse longo percurso histórico promoveu uma revolução na questão reprodutiva. A vida sexual tem cada vez menos relação com o desejo de ter filhos. A busca por uma tecnologia eficiente para que sexo e gravidez não estejam automaticamente ligados demorou a dar resultados confiáveis. A primeira forma realmente confiável de levar uma vida sexual livre do risco de uma gravidez indesejada surgiu com a invenção da pílula anticoncepcional, que mudou para sempre as relações entre os sexos na população mundial. Ficou claro que, para além do instinto de perpetuação da espécie, o que o ser humano mais busca é o prazer sexual sem o risco de engravidar. É só calcular a diferença entre a quantidade de filhos que se almeja ter (atualmente dois, no máximo três) e a vida sexual de qualquer pessoa. Enquanto ainda tínhamos um frágil equilíbrio demográfico, a vida da mulher girava em torno da maternidade e dos cuidados da casa e família – comportamento ainda vigente em algumas sociedades ou grupos mais tradicionais.

Com a descoberta da tecnologia biológica, a mulher pôde evitar as repetidas gravidezes que a tornavam acima de tudo uma mãe, não sobrando tempo ou espaço para se dedicar a interesses diversos. Comparando mulheres com outros mamíferos, criou-se a ideia de que o instinto materno imporia à mulher o desejo de ser mãe sobre todos os outros.

No entanto, temos que reconhecer que o instinto entre humanos não se sobrepõe ao desejo. Os seres humanos, apesar de serem mamíferos, têm uma capacidade cerebral adaptativa inigualável. Isso significa que a maior parte de nossos atos é aprendida e difere de um grupo social para outro. Animais como os cachorros, por exemplo, terão comportamentos quase idênticos para reproduzir ou se alimentar, mesmo sendo criados em ambientes bem distintos por todo o planeta. A pequena variabilidade de comportamento dos outros mamíferos permite que eles sejam eficientes em todos os aspectos que envolvam reprodução e sobrevivência. Já os seres humanos têm comportamentos muito distintos que dependem de aprendizagem adquirida por meio da linguagem e da observação. Essa diferença nos fez capaz de dominar o planeta, embora nasçamos profundamente desamparados. Havendo a possibilidade de criar novas formas de estar no mundo para além da uniformidade dos instintos, o homem também pode formular o desejo acima da necessidade. As greves de fome, o celibato e o suicídio contrariam enormemente a ideia de que o homem se guia pelo instinto de sobrevivência ou reprodução e revelam o desejo como um dos motores principais de nossos atos.

Uma mudança importante que decorre desses novos tempos econômicos e sociais diz respeito ao trabalho. As mulheres sempre trabalharam, seja nos campos, nas fábricas, nas casas de família, como funcionárias ou no regime de escravidão. Apenas um grupo reduzidíssimo podia e pode se dar ao luxo de ser sustentado por alguém ou por uma herança familiar. A "mulher que trabalha" não é nenhuma novidade na história como, às vezes, se afirma precipitadamente. A grande diferença que ocorreu, de algumas décadas para cá, diz respeito à maneira como se passou a encarar essas atividades. As mulheres sempre trabalharam, mas isso não era motivo de orgulho, apenas a prova de uma condição social inferior: não eram nobres, não eram ricas, não eram bem casadas. Lembremos como as condições de trabalho para as mulheres antes das leis trabalhistas e das leis contra assédio existirem podiam ser perigosas e insalubres. Jornadas intermináveis, sem descanso semanal, nem estabilidade e sem proteção conta a chefia masculina eram um calvário só comparável ao regime de semiescravidão, que ainda existe em algumas localidades. As conquistas, desde então, mudaram em grande parte o cenário profissional. A mudança de condições e costumes fez com que as mulheres passassem a almejar e se orgulhar do trabalho como forma de se emancipar e realizar aspirações pessoais. A mulher passa a ser valorizada como profissional, mas, sobretudo, busca se emancipar. O trabalho se tornou sinônimo de independência feminina. Com essa nova mentalidade, é a mulher que não trabalha que passa a sofrer preconceito, o que não deixa de ser irônico.

A contemporaneidade traz mudanças radicais: muitas mulheres querem trabalhar porque têm aspirações financeiras e pessoais mesmo tendo condições econômicas e sociais para não fazê-lo; os filhos não são o único objetivo na vida delas; os homens não as sustentam obrigatoriamente; pensões alimentícias decorrentes de divórcios podem beneficiar o esposo e não apenas a mulher; elas têm projetos pessoais antes impensáveis. Os termos "mulher" e "mãe" deixaram de ser sinônimos e passaram a se distanciar cada vez mais.

Mas, como toda mudança de mentalidade, o que era liberdade se torna rapidamente imperativo. Passamos da ideia de "é constrangedor ter que trabalhar", para o "é tolerável trabalhar" e, rapidamente, para "tem que trabalhar". Esse efeito de imperativo também aparece entre os homens, que até então eram desencorajados a cuidar dos filhos por ser "coisa de mulherzinha". Em seguida eles já podem "ajudar" a cuidar do filho e, finalmente, eles têm que cuidar do filho. Cuidar de filhos passou a ser responsabilidade de pais e mães, assim como prover o sustento da família.

Daí a ideia de que um homem que acha que está "ajudando" a cuidar dos filhos não entendeu nada. Quando as obrigações são iguais, não cabe a ideia de ajudar, mas de cumprir com sua parte. A profissão passou a ser uma obrigação para a mulher moderna, que se constrange em dizer que é dona de casa. Novamente temos uma conquista que passa a ser obrigação. Uma mulher hoje que se dedique integralmente aos filhos pode se sentir socialmente criticada, mas, paradoxalmente, quando os deixa para trabalhar se sente culpada por não estar com eles. Não podemos esquecer que se trata do trabalho no espaço público que está em jogo aqui, pois o trabalho doméstico sempre existiu. Basta a mulher sair de casa para nos darmos conta de quanto tempo e dinheiro custa para manter casa e filhos em ordem e assistidos. Esse paradoxo diz respeito à dificuldade de sustentarmos que escolhas possam ser feitas por cada um sem que se tornem imperativos da cultura, e que homens e mulheres possam chegar a um bom consenso a partir de direitos iguais de escolher.

Vivemos num momento de demandas conflitantes e impossíveis de atender. Na década de 1950, por exemplo, o que se esperava das mulheres se restringia ao lar, ao marido e aos filhos. Situação terrível para muitas, confortável para outras, tinha a única qualidade de ser bem explícita e coerente. Não quer dizer que funcionava, mas cada um sabia o que se esperava de si. Hoje, nos vemos com demandas contraditórias e ambíguas, nas quais a liberdade de escolhas e as exigências paradoxais geram outras ansiedades.

As mulheres (e os homens) estão diante do abismo de uma liberdade recém-adquirida envolta em grande ambiguidade, o que dificulta assumir nossas escolhas. Então, tentamos perguntar ou, ainda, adivinhar o que os outros esperam de nós ao invés de bancar nosso desejo.

Mulheres podem casar ou não, ter ou não filho e, provavelmente, terão que trabalhar. Podem trabalhar em carreiras até então restritas aos homens, ainda que ganhem menos. Se escolherem a combinação casamento-filho-carreira, terão que rebolar.

Mas o maior problema tem sido as escolhas no "piloto automático" que muitas pessoas fazem sem levar em conta o que realmente estão em condições e desejando fazer. Como não temos unanimidade quanto aos papéis de homens e mulheres hoje, acabamos encontrando pessoas que seguiram a onda sem reflexão e se viram prisioneiras de casamento, filhos ou carreiras que não estavam desejosas de assumir. Se nas décadas anteriores a pessoa podia se conformar diante da falta de opções, hoje, o reconhecimento de um certo grau de liberdade pode levar à melancolia e à sensação de fracasso autoimpingido.

De fato, não há escolha sem perda e o jardim do vizinho costuma parecer mais verde do que de fato é. Mulheres que têm carreiras de sucesso podem se ressentir por não terem filhos e mães realizadas podem sofrer por não terem carreiras. Quem manteve um olho na carreira e outro na parentalidade costuma se queixar de não conseguir se dedicar a nada integralmente. Parte do processo para sair desse beco é reconhecer que ao chegarmos à vida adulta tendemos a imaginar vidas paralelas, nas quais estaríamos se tivéssemos feito outras escolhas – tema de diversos filmes, aliás. Se na adolescência tínhamos a fantasia de poder escolher para sempre, a vida adulta nos confronta com o tempo e com os caminhos já percorridos. Abrir mão do que teria sido – ou, na realidade, da fantasia do que teria sido – nos ajuda a pensar o que de fato poderá vir a ser. Melancolia de um passado que não foi e ansiedade por um futuro que não virá criam impasse e imobilidade. Fora desse jogo, as escolhas voltam a se tornar possíveis, ainda que não sejam as do passado, mas as de agora. A parentalidade no século XXI pode responder muito mais ao desejo e menos aos imperativos, embora eles continuem a nos influenciar. De qualquer jeito, as motivações inconscientes nem sempre se mostram acessíveis e a resposta para o desejo ou não de ter filhos pode aparecer muito depois de os termos tido.

FILHOS?
MELHOR NÃO TÊ-LOS!
MAS...

Algumas pessoas dirão que passaram a vida pensando em ter filhos e nunca se imaginaram sem ser pai ou mãe. A brincadeira de boneca ou de casinha já denunciava um interesse por seguir os passos dos pais. Meninos e meninas demonstram desde pequenos o interesse em ter filhos, imitando pai e mãe ou sonhando fazer melhor do que eles. Outros dirão que jamais se imaginaram pais e mães e, ainda assim, tiveram filhos. Mais recentemente temos as pessoas assumindo que preferem não tê-los, sem que isso cause grande assombro à sua volta. Existe ainda pressão para que os casais tenham filhos, mas, cada vez mais, tem-se respeitado o desejo individual.

Ainda que a história de cada um seja única, fica impossível determinar de antemão quais pessoas se tornarão satisfeitas com o acontecimento e quais se arrependerão. Grandes surpresas podem advir de casais que nunca quiseram ser pais, e o inverso também. Sim, porque há pais/mães que se arrependem de terem se tornado pais/mães. Por vezes são aqueles que mais sonharam com esse projeto, mas podem ser também os mais desavisados. Orna Donath, socióloga israelense, escreveu *Mães arrependidas* (2017), livro no qual entrevista mulheres que, embora amem os filhos, se arrependem de tê-los tido. Afinal, entre a fantasia de ter filhos e a realização existe um abismo.

O primeiro paradoxo da parentalidade decorre do fato de querermos um filho... e termos outro! O filho que tanto queremos já existe em nossa cabeça em forma de sonho e idealizações. O bebê que chega, por sua vez, é um ilustre desconhecido. Nesse sentido somos sempre impostores, porque caímos no berço de um bebê esperado, mas que não podemos ser. Na roleta genética, meninas chegam em lugar de varões e vice-versa; altos e esbeltos dão lugar a baixos e gordos; cabeludos são carecas; calmos e dóceis podem se revelar chorões inconsoláveis, enfim, é impossível que haja coincidência substancial entre uns e outros. Os filhos vêm para desbancar nosso narcisismo e se recusam a ser o *mini me* esperado. Fazer o luto do bebê sonhado faz parte da experiência de todos os pais em maior ou menor grau e é absolutamente necessário, pois permite o ajuste entre o sonhado e o real e abre espaço para que se conheça quem chegou e que venhamos a nos apaixonar por ele. Estranhar o bebê que chega, em maior ou menor grau, faz com que esta relação possa ser construída de forma inédita, por meio dos cuidados diários. A chegada do bebê é uma espécie de lua de mel de um casamento arranjado com noivo desconhecido. Tumultuada, promissora, intensa. Podemos afirmar que todos os bebês devem ser adotados por alguém, sejam filhos biológicos ou não.

Diferentemente do que reza a lenda urbana da contemporaneidade, ter filhos nem é a salvação, tampouco é a derrocada da vida de uma pessoa. Há épocas em que os fatores sociais são mais favoráveis à parentalidade e épocas mais difíceis. Preciso dizer que estamos em tempos conturbados para a tarefa?

Ter filho é um fato da existência que nos concerne a todos, porque mesmo que optemos por não tê-los somos, forçosamente, filhos de alguém. Nos perguntaremos sobre essa questão inevitavelmente. Porque meus pais me tiveram, o que esperavam de mim? Queiramos ou não seguir com a transmissão geracional, a filiação é a questão central que localiza o sujeito no mundo. A partir de nossa ascendência temos as coordenadas que nos colocarão no mapa do mundo. Nome e sobrenome são como a tachinha no mapa que, quando colocada com firmeza, nos permite perambular pela vida com mais facilidade. Para poder se afastar de um ponto de referência, é preciso que ele exista e seja reconhecível como tal. Até mesmo para termos para onde voltar, de onde sentir falta ou de onde fugir!

Voltando à questão dos tempos difíceis nos quais nos encontramos para procriar, vale refletir sobre algumas características de nosso tempo que embaralham a parentalidade. Mas não se enganem: nunca houve um momento histórico no qual ter filhos foi fácil. Qualquer período que se use de exemplo, quando visto de perto, revelará dilemas, mazelas e alegrias ligadas ao risco de sermos pais/ mães. Outras épocas e culturas podem nos servir para nos distanciarmos do que vivemos hoje e relativizarmos certezas. Ainda assim, é importante que nos debrucemos sobre as condições que nos dizem respeito e reconheçamos o mal-estar próprio do nosso tempo.

A atual conjuntura de consumo, a avidez pela imagem, o individualismo, a perda das garantias religiosas, o superinvestimento narcísico colocam novas questões para cada um de nós. O apelo ao consumo tem feito pais se esfalfarem para oferecerem objetos para os filhos sobre o preço de se ausentarem do lado deles. A cultura da imagem e das postagens de imagens de cada atividade do dia a dia dá a falsa impressão de que todo mundo está se divertindo menos você, o que tem incrementado os quadros depressivos já epidêmicos. Nessa lógica, acredita-se também que todas as outras pessoas estão muito mais felizes com os filhos e conseguindo se sair perfeitamente bem, o que, apesar de ser mentira, costuma abalar pais/mães já habitualmente culpados. É difícil assumir uma tarefa que envolve tanta dedicação ao outro, diante do culto ao individualismo e à realização pessoal. A abnegação requerida na parentalidade – qualidade rara nos dias de hoje – pode levar décadas para ser reconhecida pelos filhos, quando ocorre. O lastro que a religião dava para muitos foi substituído pela liberdade de encontrar novas razões e motivações que partem do desejo e não da obrigação moral. Como toda liberdade, dá trabalho. Afinal, temos que escolher e nos responsabilizar pelas escolhas. Os bebês, como tudo que nos diz respeito pessoalmente, implicam em grande investimento narcísico. Esperamos em troca que ele nos devolva esse investimento na forma de amor e reconhecimento. Mas a coisa não funciona bem assim. Não se pode contar com um grande Ibope, quando se tem que fazer o trabalhinho sujo de educar. Higiene, saúde, escola, tarefas e obrigações nem sempre são divertidas para os pequenos e somos nós a garantir essas tarefas. Nessas horas eles preferem os amigos e podemos ficar bem ressentidos com isso.

Grosso modo, filhos nos impõem, pelo menos, dois grandes desafios. Um é o clássico trabalho braçal de cuidar, no qual somos implicados fisicamente. Para dar conta da dependência absoluta do começo se faz necessário que alguém se ocupe dos choros, da fome, do frio e dos desconfortos em geral. Horas sem dormir, ocupação e preocupação constantes, ansiedade com os desejos indecifráveis extenuam e levam ao arrependimento até o pai/mãe mais convicto. Com o tempo, a corda afrouxa um pouco, mas são décadas até que a excessiva ocupação dê lugar para a permanente preocupação. Esse tema costuma pesar bastante na balança da escolha, mais ou menos consciente, de se ter ou não filhos. Mas não é aí que se encontra o aspecto mais intenso da escolha. O outro desafio surpreende os pais desavisados.

A tarefa bem mais complexa e interessante justifica os anos de trabalho anteriormente descritos e diz respeito, digamos, a *ser a tachinha no mapa de alguém*. Seremos nós a ocupar o lugar no qual estavam nossos pais, que sempre nos foi enigmático. Projetamos neles um saber sobre a origem da vida, nossa vida, e chegou a hora de saber o que nossos pais sabiam. Esse segundo desafio, que se tornar pai ou mãe nos coloca e que não costumamos antecipar, revela o que nossos pais sabiam, quando nos tiveram: quase nada. O grande susto é descobrir que fomos gerados por pessoas tão despreparadas para a experiência quanto nós. Podemos reproduzir a vida, podemos reproduzir corpos, transmitir o nome, a cultura, as heranças materiais, simbólicas, podemos amar desesperadamente e, ainda assim, continuarmos ignorantes sobre os fatos mais importantes da nossa existência. Temos os filhos, assim como nossos pais nos tiveram, e ainda assim não sabemos nada sobre a origem da humanidade. Algo sobre a existência humana permanece insondável e surpreendente.

Portanto, a aposta na parentalidade deve envolver a busca por satisfações bem distintas daquelas que fantasiamos. Queremos um bebê e vem um estranho a quem teremos que nos afeiçoar; queremos gratidão e reconhecimento, mas não há garantias de quando ou se o teremos; queremos respostas sobre a existência, mas permanecemos na mais absoluta ignorância. As satisfações possíveis passam pelo prazer de ver outro ser humano emergir ao longo de anos de desenvolvimento, da capacidade de amar e ser amado, do prazer de cuidar de alguém, de lidar com diferenças e desafios, do projeto de colocar alguém que valha a pena no mundo, da chance de amadurecer lidando com uma experiência intensa e perene. Dizem mais respeito à aposta na própria transformação pessoal que a parentalidade promove do que de ter filhos como bens adquiridos para alimentar nosso narcisismo.

Trata-se de uma aposta, sem garantias, como o são todos os grandes gestos humanos. Isso nossos pais descobriram antes de nós. Longe de ser uma tarefa entre outras, a parentalidade hoje, por ser uma escolha, nos confronta com nosso desejo e nossas limitações e costuma ser uma das experiências mais enriquecedoras das nossas vidas, se soubermos ajustar as expectativas.

SATISFAÇÃO GARANTIDA OU SEU FILHO DE VOLTA?

Em busca de preparação e garantias, casais ou pais e mães solo têm feito verdadeira peregrinação a obstetras e pediatras, mas também nutricionistas, pedagogos, psicólogos, técnicos em amamentação e fisioterapeutas numa via sacra de dar inveja a qualquer cristão. Na forma de consultas regiamente pagas, mas também no consumo de livros, grupos de gestantes e mães de bebês, vídeos e palestras, o especialista se torna o guru da Nova Era Parental. A lista de atividades e objetos que os pais/mães supõem ter que realizar e adquirir faz os preparativos para a escalada do Himalaia parecerem fichinha.

Como sobreviveram as gerações anteriores sem ofurôs para bebês, chupetas ortodônticas, babás eletrônicas, curso de gestantes, partos cirúrgicos, monitoramento e exames de ultrassom em 3D? Como a espécie humana conseguiu tal façanha, antes da criação de tecnologias ou dos conhecimentos sobre o funcionamento do corpo e do cérebro dos bebês? Diante de tantas necessidades prementes, os pais que não têm acesso a esse arsenal podem sentir que já começam em desvantagem, o que não é verdade. Tamanho investimento também cobra seu preço, muito além dos honorários e faturas do cartão.

Para chegarmos nesse ponto de extremo em busca de garantias, pelo menos três elementos importantes se uniram e criaram uma conjunção arriscada e que tem pouca ligação com as necessidades dos bebês e seus pais/mães.

A primeira diz respeito à Revolução Industrial e ao vertiginoso desenvolvimento tecnológico decorrente, incrementado pelas duas Grandes Guerras mundiais. Com as novas aquisições da ciência, a religião acabou sendo suplantada, e as questões humanas passaram a ser respondidas pelo especialista e não mais pelo padre. Antes, quando algo acontecia, a resposta estava nos desígnios insondáveis de Deus, ora interpretados como castigo por pecados inconfessos, ora como provação imposta aos bons fiéis. Gradativamente, com a modernidade, a medicina passa a responder pelos acontecimentos que antes eram da conta da Igreja. Se hoje algo de ruim acontece, a explicação tem que ser dada pelo saber científico, tanto no âmbito da saúde mental e física, como dos fenômenos ecológicos, políticos... Enfim, o homem deve saber a resposta sobre os desígnios da vida e da morte.

Hoje em dia, quando alguém morre, se quer saber de quem é a responsabilidade, como se a cura definitiva da morte estivesse no horizonte, bastando a biotecnologia alcançá-la. A incredulidade diante da morte ou das doenças costuma recair como culpa ou do médico, considerado inapto, ou dos familiares, julgados relapsos.

Nos atendimentos em psicoterapia, encontramos ambas as interpretações conjugadas. Pais/mães se sentem culpados pelas coisas que não fizeram e até pelo médico que escolheram. Paradoxalmente, a crença em algum desejo divino continua presente, criando um amálgama de culpas e acusações infindáveis. A culpa é triplicada e a conta impagável. A transmissão de doenças genéticas, por exemplo, racionalmente fora do alcance do desejo dos pais/mães, tem penalizado os pais. Como se tivéssemos o poder de decidir sobre os genes que transmitiremos ou não, ou a obrigação de fazê-lo, quando se torna possível. Tamanho sofrimento é decorrente de uma fantasia onipotente de busca de garantias e controle do imponderável. Diante da fantasia de tanto poder, como não cair na impotência e na culpa?

O outro elemento diz respeito à questão do consumo, tema que sempre reaparecerá quando se pensa o comportamento humano na contemporaneidade, uma vez que é ele que dita o tipo de laço social que criamos hoje. Somos uma sociedade consumista e fica impossível que nosso comportamento não seja influenciado pelo imperativo de descartar o velho e adquirir mais e mais. Se pensarmos nos laços sociais, vale lembrar a história do amigo que surge via redes sociais depois de anos sem dar notícia, super a fim de receber você na casa dele, mas cujo convite acaba por se mostrar uma pegadinha para que você compre produtos ou se torne vendedor dos produtos dele. Outro exemplo óbvio é a forma como somos tratados quando parecemos ser consumidores potenciais e quando não. Basta ir ao shopping – nosso novo templo religioso – bem vestidos ou mal vestidos para vermos a diferença de tratamento ao entrar em qualquer loja. Havendo um empuxo ao consumo, é natural que tanto os produtos quanto os serviços de especialistas nos sejam empurrados goela abaixo, quer necessitemos deles ou não. O consumo se beneficia da nossa impulsividade, falta de reflexão e ansiedade. Três coisas que o tempo de espera por um bebê tende a aumentar, criando uma conjunção propícia e fazendo dos pais e mães alvos preferenciais.

Temos ainda um traço humano bastante explorado pelos elementos anteriores, nossa necessidade de prever e planejar os acontecimentos como forma de sobreviver. Ferramenta maravilhosa da capacidade intelectual humana e que pretende estar atenta e prevenir o imponderável e as intempéries. Sempre buscamos ler o futuro e podemos fazer isso lendo a borra do café no fundo da xícara, consultando o ultrassom, ou as duas coisas. Muito comum os pacientes irem ao obstetra, ao psicanalista e à cartomante durante uma gestação. Acende-se uma vela para cada santo, só para garantir. Embora a tentativa de prever o futuro seja característica humana, desde que começamos a refletir, os tempos são outros e a nossa relação com o mundo ficou bem mais complexa. Não deixamos de acender as velas, no entanto.

Ciência, consumo e busca por garantias são três elementos centrais do jeito contemporâneo de lidar com a reprodução e precisam ser pensados para que encontremos uma saída menos angustiada como essa que vemos nas depressões parentais e outras formas de adoecimento diante das surpresas da vida.

Primeiríssima questão: não há, nunca houve e jamais haverá garantia. Qualquer tratamento ou objeto que for usado para fomentar a falsa ideia de que haveria o tão sonhado controle e prevenção no que tange a parentalidade implica má-fé. A culpa estratosférica que os pais/mães têm carregado por tudo que acontece com os filhos é, paradoxalmente, um dos grandes males da criação deles hoje em dia. Ficam tão inibidos diante dos riscos inerentes à vida que acabam não curtindo as relações e impedem que as crianças tenham experiências enriquecedoras. Tem sido uma preocupação global a forma como os jovens buscam se isolar por meio das mídias sociais ao invés de estabelecer relações diretas com colegas e com o mundo. Mesmo países nos quais os jovens tradicionalmente deixavam o lar no período na faculdade estão se deparando com uma geração que permanece na casa até os 30 anos.

Existe uma diferença entre responsabilizar-se pelo cuidado ostensivo de um bebê ou criança – o que bem ou mal a humanidade tem feito – e a fantasia de onipresença, onisciência que assola pais e mães. O que está em jogo nessa nova lógica e que desemboca na criação dos filhos é a fantasia de onipotência que toma a frente como modelo e faz com que nos comparemos com seres divinos que deveriam prever cada movimento e o resultado de cada escolha.

Por vezes, os adultos assumem a ideia de "não sou perfeito" mais no lugar de um pedido de desculpas do que do reconhecimento de que esse é um fato estrutural e incontornável. Quanto mais maduros nos tornamos, mais somos capazes de fazer o luto dessa fantasia e assumir nossas limitações como uma real condição, não como um defeito. Uma vida sem riscos é uma vida sem acontecimentos e sem experiências, do que se deduz uma vida sem emoções e com pouco sentido. Não é difícil reconhecer o papel compensatório das drogas. Por serem autoadministradas, podem responder pela necessidade de experiências e emoções numa situação em que se supõe estar sob controle.

A busca extremada por garantias, respostas e prevenções tem sido um dos grandes problemas da atualidade, pois os filhos, aprendendo bem essa lição, não querem arriscar nada na vida adulta que não esteja garantido de saída. A única garantia que temos é que a vida acaba e que, enquanto ela dura, tudo pode acontecer. *Carpe diem.*

"NÃO SABIA QUE TUDO IRIA MUDAR"

Essa é uma frase que sai da boca de nove entre dez pessoas que tiveram filho. Essas pessoas sabem que os filhos trazem mudanças, mas, obviamente, antes de vivê-las não têm como antever do que se tratará. Ainda assim, parecem se sentir traídas, como se em algum lugar inconfesso acreditassem poder prever os acontecimentos. O mapa de Paris pode ser conhecido de cor e salteado, mas não é Paris. Alguns alimentam a fantasia secreta de que com eles será diferente (quem não!?) e se acham injustiçados ao descobrirem que não são superiores aos demais. Outros desistem de ter filhos, pois não suportam a falta de controle que essa decisão implica. Mas, de fato, ter filhos é jogar os dados esperando que caiam na melhor posição possível.

Quais mudanças estão em jogo nessa jornada que tanto tememos, ignoramos e que, no entanto, não nos impede de ter outros filhos?

Uma mudança crucial diz respeito à relação com nossa família de origem. A chegada do bebê empurra uma geração para frente, o que não é de todo simpático. Basicamente, todo mundo envelhece um pouco, cada vez que uma geração chega. Filhos/filhas se tornam pais/mães, pais/mães se tornam avôs/avós, irmãos/irmãs se tornam tios/tias, tios/tias se tornam tios-avôs/tias-avós, amigos/amigas se tornam "titios/titias" e assim sucessivamente. Cabe a cada um se virar com o novo lugar e o novo *status* a partir dos recursos que tiver, mais ou menos maduros, conforme os tenha.

Se pensarmos nos avôs/avós, por exemplo, teremos felicidade com a chegada dos netos, dividindo espaço com ciúmes na concorrência do amor dos filhos, que agora se dedicarão inteiramente ao bebê. Teremos também os avôs/avós que se sentem traídos pela marca do envelhecimento que a nova posição cria, ao mesmo tempo que se sentem gratos pela continuação da sua descendência. Eles podem ainda competir descaradamente com os filhos, tentando provar que foram pais/mães melhores ou podem se render à angústia cada vez que lembrarem como eram imaturos. As comparações são inevitáveis e, ao vermos nossos pais/mães lidando com nossos filhos, podemos ficar horrorizados ou gratos com a forma como fomos tratados. É bom lembrar que esses afetos não são excludentes e são difíceis de admitir para nós mesmos. Ainda assim, são absolutamente corriqueiros e humanos. Irmãos podem se ressentir por perderem a posição de caçulas da família, ou se sentir invejosos da parentalidade dos outros. A posição de tio/tia surge como responsabilidade nem sempre aspirada ou profundamente desejada, o que torna os palpites inevitáveis. Amigos/amigas podem se afastar por não terem filhos ainda; competir ou se solidarizar por já os terem. As combinações são infinitas, mas uma coisa é certa: à chegada de um bebê, ninguém sai incólume. É quase impossível prever em que direção se darão essas transformações, que acabam por surpreender os envolvidos.

Deixar de ser a filhinha da mamãe/papai para ser a mamãe da filhinha/o – serve para os pais também – pode ser bem assustador. Nunca mais encontraremos o aconchego ao lado dos pais, agora que todas as atenções se voltam para o pequeno que chegou? Teremos que carregar o mundo nas costas? Nossos pais ficarão gratos pelos netos ou raivosos pelo aumento da proximidade com a velhice? Nossas fantasias correm soltas nesse período de grandes revelações.

É curioso observar como algumas relações familiares podem ser refeitas com a chegada de um novo membro, enquanto outras, até então em equilíbrio, podem se deteriorar rapidamente. A caixa de Pandora foi aberta e com ela todo arsenal de mazelas e glórias humanas. Ser honesto com nossas próprias emoções ajuda a não sucumbir a ressentimentos. Afinal, a chegada de mais um membro na família deve servir para ampliá-la, e não desmontá-la.

Em uma cultura na qual a imagem corporal é superinvestida, a ponto de precisarmos tirar fotos de nós mesmos o tempo todo, publicar para que os outros vejam e respondam com *likes*, é de se esperar que as mudanças corporais provocadas pela gravidez, parto e aleitamento causem preocupação. O ideal de "recuperação" do corpo à forma anterior, o mais rapidamente possível, é uma espada sobre a cabeça de muitas mulheres e causa distúrbios bem conhecidos da clínica psicanalítica e psiquiátrica. As pessoas esquecem que o tempo para se dedicar ao próprio corpo é drasticamente reduzido pelo tempo de se dedicar ao corpo do bebê e do filho pequeno. Mesmos os pais, que não vivem pelo ciclo de gravidez, parto e pós-parto no próprio corpo, percebem mudanças decorrentes da falta de sono e atividades físicas habituais. Para quem investe muito nesse quesito, talvez valha lembrar que as rotinas tendem a se organizar ao longo dos primeiros meses/anos e hábitos podem ser retomados em novas bases.

Isso está diretamente relacionado com as mudanças na administração do tempo em geral. Antes distribuído conforme o desejo e possibilidade de cada um entre trabalho, cuidados pessoais, sexo, relações sociais, estudos e lazer, agora passará a ser dividido com a tarefa ostensiva e ininterrupta de se ocupar, se preocupar e se responsabilizar por uma pessoa inteiramente dependente. Cada atividade terá que perder um tanto de investimento, em proporções a serem decididas conforme a possibilidade, o desejo e a necessidade de cada um.

O sexo muda? Sim, falaremos mais detidamente sobre isso também a seguir.

Se seguirmos nessa toada, pode parecer completamente injustificável que tenhamos filhos, afinal, soa como uma série interminável de perdas e adaptações brutais que se deve fazer. Mas ao considerar que a maioria opta por mais de um, talvez estejamos colocando as fichas nas mudanças erradas.

Os filhos nos fornecem experiências preciosíssimas e insubstituíveis. Oportunidades de lidar com os temas mais caros da existência humana e de estabelecer uma relação com alguém desde o começo absoluto da forma mais radical possível. O amor que se estabelece nos possibilita uma abnegação inédita e uma projeção na posteridade única. Para isso precisamos fazer o luto do bebê que estava na nossa cabeça e aprender a amar o ilustre desconhecido que chega em seu lugar (como vimos no capítulo "Parentalidade no século XXI"). É natural ficar um pouco triste depois que ele chega, afinal, cai uma ficha do tamanho do mundo.

Brincar de boneca e de casinha é o primeiro exercício da projeção de ser pai/mãe e faz parte da construção desse desejo, mas perder essa fantasia será uma das primeiras mudanças necessárias para exercer esse papel. Se o bebê fosse uma boneca, seria uma que certamente levaríamos de volta ao fabricante por ter vindo com defeito. Às vezes, somos nós que acreditamos ser pais/mães com defeito de fábrica e que não merecem o bebê maravilhoso que têm. Nenhuma das duas posições é justa.

Faz parte do desejo de ser pai/mãe a fantasia infantil de "ter um bebê" para amar e brincar, um bebê para "chamar de meu". É nesse lugar romantizado e pueril que esperamos os filhos. Mas eles não conseguem, e nem devem, tentar corresponder a isso. Entre o filho do sonho e a pessoa que chega, temos um luto a realizar. Costuma ser omitida essa parte da história, qual seja, que ganhar um bebê lindo e maravilhoso implica sentir-se um tanto triste. Nesse desencontro entre sonho e realidade temos a chance de crescer enormemente. Chances não são garantias, mas se aproveitadas podem ser muito gratificantes. Tampouco seremos os pais super-heróis que nossos filhos irão fantasiar. Eles, provavelmente, terão conosco a mesma decepção que tivemos com nossos pais. Se isso não tiver sido um horror para nós, ficará mais fácil aguentarmos vê-los desapontados conosco.

As mudanças são muitas e envolvem ganhos e perdas, como todas as crises maturativas, ou seja, que levam ao amadurecimento e não são patológicas, mas benignas. A adolescência e o envelhecimento também trazem crises benignas esperadas em nossas vidas.

Irmãos criam novos desafios e nova rodada de aprendizagens e exigências.

Algumas competências serão postas à prova, outras terão que ser adquiridas, algumas irão faltar mesmo. Sobreviveremos e nossos filhos também.

CASAIS SOBREVIVEM À CHEGADA DOS FILHOS?

Comecemos pensando nas crises em geral, pelas quais os casais, que se prestam a ter relações duradouras, passam. É de se esperar que na vida amorosa de um casal existam momentos em que um dos dois entre em alguma crise pessoal sem que necessariamente o outro esteja passando por uma crise também. A perda do emprego, o adoecimento, o luto por algum parente costuma acontecer individualmente e implica que o outro, que não está passando por fase tão estressante, esteja apto a apoiar o companheiro/companheira. Também tem feito parte da vida dos casais a experiência contemporânea da valorização da individualidade. Isso significa que, embora formem um casal, cada um terá seu trabalho, seus amigos, seus *hobbies*, sua academia.

Diferentemente das situações descritas, a chegada do filho acarreta uma crise vivida por ambos ao mesmo tempo. Costuma ser a primeira oportunidade na qual terão de assumir um projeto comum, cujas escolhas são infinitamente mais complexas do que decidir sobre a troca do sofá ou onde passar as férias.

Essa é a hora na qual os recursos para se comunicar, a capacidade de dar e receber apoio mútuo serão exigidas de forma radical. Algumas competências serão colocadas à prova e outras terão que ser criadas, inventadas mesmo. Nos tratamentos psicanalíticos, recebemos inúmeros casais jovens, que tiveram filhos e perderam o rumo da vida em comum. Exaustos, por vezes arrependidos e ressentidos, chegam para contar como tudo andava bem até o pequeno nascer. A chegada dos filhos nunca facilitou a vida de ninguém, mas a dificuldade de conciliar vida amorosa e parentalidade parece ser uma questão do nosso tempo ou, pelo menos, agravada por circunstâncias de nossa época. O que temos de novo no *front*?

Os casais estão vivendo momentos de muita inconsistência sobre o papel de cada um. A dificuldade de diferenciar o que caberia ao pai e à mãe tem levado a ressentimentos e divórcios. Não existem fórmulas, pois se trata justamente da especificidade de cada família e como cada um se dispõe a ocupar os papéis. Justificativas como "isso é coisa de mulher" ou "homens não sabem cuidar de crianças" vão caindo por terra. O exemplo mais comum e paradoxal dessa queda é do casal que se separa depois da chegada dos filhos em função da dificuldade em dividir tarefas, que levam a disputas, desinteresse mútuo, enfim, separação. Nesse caso, não é incomum o marido, que se mostrava relutante em cuidar das crianças, ou a mulher, que sentia receio de deixar os filhos com o pai, se verem diante do fato de que, com o divórcio – e, muitas vezes, a guarda compartilhada –, o homem acaba por cuidar sozinho dos filhos periodicamente, quer queira quer não. E veja só! O pai passa a valorizar a parte da mãe e a mãe passa a confiar nos cuidados do pai, a partir de uma experiência radical e sofrida.

Paira sobre os casais ainda o mito danoso de que a mãe é insubstituível nos cuidados dos filhos. As mulheres que gestam e parem têm uma experiência visceral com a maternidade muito diferente da dos homens. É claro que algo que acontece no corpo de forma radical marca a mulher para sempre e deixa na relação com os filhos uma estranha sensação de que eles ainda são "parte" do corpo dela. Daí a trabalheira para ir se separando deles e, ao mesmo tempo, o esforço do pai – pode ser a companheira que não gestou – em ir se aproximando deles. O que pode parecer uma vantagem, a saber, a proximidade física entre mãe e filho, é justamente aquilo que deverá ser trabalhado depois do nascimento. A mãe que permanece grudada na criança é um pesadelo para o casal e um desserviço para a criança, cuja tarefa é se emancipar e ter uma vida autônoma. O pai ou companheira que não gestou, mas também avós-avôs e outros cuidadores são uma peça-chave para ajudar a mãe a ir se desligando do bebê. Esse processo é mais forte nos primórdios do parto e aleitamento, mas acaba por justificar que ela se ocupe integralmente das crianças.

Ainda quando os casais dividem igualitariamente as tarefas, costuma acontecer um fenômeno que revela resquícios dessa mentalidade: a carga mental fica ao encargo da mãe. Médico, lições de casa, maiô da natação, autorização para viajar, lanche da escola, presentes de aniversários dos coleguinhas, carteira de vacinação vão sendo "naturalmente" incumbências mentais da mãe, cuja capacidade de ser *multi-task* é sempre valorizada, mas nunca renunciada.

Então, o que cabe de fato a cada um? Tirando gestação, parto e aleitamento não há por que não dividir igualitariamente todas as outras tarefas. Pensemos no exemplo das mulheres de países africanos subsaarianos, que chegam para se estabelecer na Europa. É comum relatarem que não se ocupavam em absoluto dos filhos desde o nascimento. Os bebês, nesses grupos mais tradicionais, quando nascem são entregues aos cuidados da avó e outras mulheres mais velhas. As mães se queixam de só verem os filhos na hora de amamentar. Elas só cuidarão integralmente dos próprios netos. Substitua a avó pelo pai ou outros cuidadores e veremos que os bebês vão muito bem, obrigada – desde que os cuidadores invistam na criança com uma certa qualidade de afeto amoroso, claro.

Como ficam as crianças diante das novidades? Mais preparadas do que nunca para o mundo que as espera. Conviver com uma divisão de tarefas igualitária, respeitosa e satisfatória para ambos fortalece as relações familiares e mostra para as crianças o tipo de relação que estará em voga no futuro. Basta viajar para os países mais desenvolvidos (Noruega, Austrália e outros) para perceber como as famílias já estão bem adaptadas aos novos modelos. É comum que meninos ganhem peças de cozinha e arrumação de casa, sem que isso ofenda os familiares, pois é fato que os meninos cuidarão tanto da casa quanto as meninas. Não é brincadeira constrangedora para eles, porque eles observam o pai cuidando da roupa, louça, comida e das crianças. Se o pai é o modelo para o menino, nada mais justo do que brincar de papai desde pequeno.

Ainda que a divisão possa ser igualitária, as pessoas têm experiências, aspirações e disponibilidades diferentes. Cada casal terá que arcar com o peso das suas escolhas, sem argumentação moral ou pretensamente biológica. Alguns se sentem mais confortáveis e realizados com os serviços domésticos, ou com o cuidar dos filhos, e outros com o trabalho fora de casa. Se existe essa tendência, nada mais justo que combinem tarefas diferentes, mas igualmente valorizadas. Se não existem diferenças, pode ser mais fácil dividir meio a meio.

O pulo do gato é que o casal tenha uma divisão particular, que respeite as diferenças e aspirações de cada um sem se justificar em preconceitos de gênero. Assim, tanto o homem pode ficar em casa com as crianças, como o cônjuge pode sair para o trabalho. Ou ambos fazerem as duas coisas com alternância de tarefas.

Sim, os casais sobrevivem à chegada dos filhos, mas enfrentam a dificuldade de desenvolver um projeto juntos, muitas vezes, pela primeira vez. Aqui a regra é simples, mas de difícil aplicação: combinado não é caro.

EXISTE SEXO DEPOIS DO NASCIMENTO DOS FILHOS?

A pergunta que não quer calar: existe vida sexual depois do nascimento dos filhos? Essa questão tem atormentado homens e mulheres mais do que nunca. Não se trata só de ter tempo de recomeçar a vida sexual depois de alguns meses controversos de gestação (alguns casais lidam bem e outros ficam inibidos nessa fase) e de abstinência da quarentena do pós-parto. Tampouco se trata apenas de achar um horário entre uma mamada ou outra, que pode simplesmente não existir com bebês que mamam de duas em duas horas. Trata-se do fato de que toda a relação está sendo exigida e é no sexo que costumam aparecer essas diferenças nos casais.

Sexo entre humanos nunca é simples, sendo totalmente diferente da experiência dos demais mamíferos. A prova básica é que os animais têm relações para procriar, portanto, apenas no cio da fêmea, ao passo que o ser humano passa a vida transando apesar do período fértil. Os métodos contraceptivos estão aí justamente para libertar o ato sexual do ato procriativo. O desejo sexual humano tem por características ser atravessado por fantasias de foro íntimo, geralmente impronunciáveis, por vezes, compartilháveis. É importante ter em mente que as fantasias sexuais são centrais entre nós e que a roupa errada ou uma palavra mal colocada podem estragar uma noite promissora. As fantasias podem ser violentas ou bizarras, tudo bem. Isso não significa que você desejaria que elas de fato acontecessem. Elas são apenas um tipo de *cine privé* com o qual nos divertimos, sem que haja nada de patológico aí. Uma abordagem mal calculada, uma aparência considerada sem atrativos ou mesmo a diferença de classe ou de pele podem impedir o desejo. Isso quer dizer que por mais que as pessoas fiquem abstinentes, não basta a oportunidade para que cheguem às vias de fato.

Nesse quesito, a música dos Titãs, cujo refrão pergunta "você tem fome de quê?", vem bem a calhar. Para nós, a fome é sempre de algo específico, o desejo sexual é sempre de algo específico. As fantasias servem para que possamos dar vazão sem riscos a desejos que, se tornados realidades, não seriam necessariamente agradáveis. Imaginar cenas violentas ou socialmente proibidas não equivale realmente a querer apanhar ou querer transar com a cunhada. Na fantasia vale tudo e isso permite que, justamente, não precisemos chegar às vias de fato. Existem fantasias que podem ser compartilhadas pelo casal e que costumam trazer muito prazer e cumplicidade. Entre adultos, no que tange ao sexo, vale novamente a máxima: que haja consentimento.

E de onde vêm todas essas fantasias, desejos inconscientes e preferências? Desde o berço. Com sorte, somos amados, abraçados, beijados e mimados por adultos que não apenas cuidam de nós, mas nos cheiram, pegam no colo, dizem coisas doces, enfim, nos ensinam desde cedo que nosso corpo é uma fonte inesgotável de prazer, muito além da satisfação das necessidades. Leite é bom e imprescindível, mas leite com colinho, olhar e vozes alimenta muito mais. Isso é tão verdade entre seres humanos que bebês apenas alimentados, mas sem investimento afetivo, podem morrer. E bebês doentes, mas amorosamente acolhidos, podem sobreviver muito além do esperado. Mas as mesmas pessoas que nos ensinaram a amar e ser amados não poderão ser nossos parceiros, para nossa grande decepção. Uma menina de 3 anos dirá que é a namoradinha do papai e que vai casar com ele quando crescer, levando toda a família a rir. Alguns poucos anos depois, no entanto, essas palavras ditas com a mais pura ingenuidade cairão no esquecimento e serão repudiadas. Lembre um adolescente de que ele já proferiu essas frases na infância e você verá a reação de indignação. Entre o riso e a incredulidade, esse momento tão importante de nosso desenvolvimento será lembrado como uma fase entre outras. No entanto, esse é o famoso Complexo de Édipo, que até quem nunca estudou psicanálise já ouviu falar. De forma bem simplificada, esse complexo trata do nosso amor proibido pelos pais e de como nos sentimos castrados ao termos que renunciar a ele. À medida que somos capazes de renunciar a esse amor, criamos a possibilidade de amar todas as outras pessoas do mundo. Com o crescimento, a gente descobre, não sem sofrimento, que pai e mãe não podem ser os destinos finais de nosso desejo amoroso, mas, ao abrir mão deles, podemos buscar parceiros que possam realmente ocupar esse papel. Perdemos os dois e ganhamos um mundo de possibilidades amorosas. A troca pode ser dolorosa aos olhos de uma criança, mas é justa e bem vantajosa quando se chega à vida adulta.

Todo esse repertório de carinho, mas também de broncas, tapas, rispidez, tristeza, deixa marcas no nosso corpo e nos faz humanos e sexualizados, ou seja, aptos ao amor. Vai demorar um tempo para que essas experiências desemboquem na maturidade do ato sexual em si, mas fazem parte do caminho incontornável para se chegar a ela. Tudo isso para dizer que cada um de nós tem um percurso único, intransferível e insondável que nos levou a termos uma determinada resposta sexual e fantasias sexuais próprias.

Enfim, encontramos alguém e vivemos com essa pessoa uma troca afetiva e sexual muito específica. Num dado momento, planejado ou não, dessa relação surge um terceiro que nos coloca no lugar inédito de pais. Bom, já deu para desconfiar como a chegada de um bebê pode abalar essas fantasias, afinal, algo se reedita nessa cena. Agora somos nós a amar um bebê que logo, logo imaginará que podemos ser tudo para ele. Será nosso filho a dizer que quer casar conosco ou ter filhos com o papai. Como vamos encarar essa novidade? Não dá para saber *a priori* porque se trata justamente daquilo que esquecemos sobre nosso amor pelos pais. Alguns ficam tão identificados com o possível ciúme do bebê que não conseguem transar sabendo que ele está dormindo no quarto ao lado. Sentem-se culpados imaginando que o estão traindo. Culpados e confusos, temem deixar o bebê de fora. Viagem só do casal? Nem pensar, o/a filho/a vai sofrer muito.

Algumas pessoas embaralham um pouco esses lugares e já não sabem como voltar a desejar uma mulher que se tornou mãe ou um homem que se tornou pai. Afinal, pai e mãe transam para ter filhos, não por diversão! Embora pareçam intransponíveis, as barreiras que podem aparecer depois da chegada dos filhos são importantes de serem ultrapassadas, pois revelam nossa imaturidade no tocante a nos separarmos dos nossos pais. Pelos filhos ou não, teremos a oportunidade de assumir uma vida sexual muito mais madura se deixarmos de ser assombrados pelos fantasmas edípicos. Além disso, não há como prever como cada um lidará com a situação, ou melhor, em que caçapa cairá a chegada dos filhos na história de cada um. Os efeitos podem ser surpreendentes para a própria pessoa.

Enfrentadas as barreiras de comunicação, a novidade na divisão de tarefas, os diferentes projetos de cada um para o filho e as inibições das fantasias sexuais inconscientes, o casal tem grandes chances de responder positivamente à pergunta inicial. Sim, existe vida sexual depois da chegada dos filhos. Só que para alguns pode dar trabalho. Enfrentá-lo faz parte da constituição da família ou, no mínimo, da possibilidade de cada um viver uma sexualidade mais livre e satisfatória. A reedição edípica, as dificuldades logísticas e a necessidade de diálogo são inquietações que podem levar o casal ao amadurecimento e a muito prazer. Se você quiser encarar desafios que apontam para seu crescimento e amadurecimento, filhos podem ser uma verdadeira oportunidade.

ESCOLHA
SUA PERDA

A hesitação diante das escolhas tem sua razão de ser. Ao escolhermos, ficamos com algo, ao mesmo tempo que abrimos mão de algo, ou seja, devemos escolher não só o que queremos, mas o que perdemos. Como a perda sempre nos traz algum sofrimento, sonhamos com a mágica de escolher sem ter que pagar o preço. Estar casado levando vida de solteiro, tornar-se doutor sem despender horas estudando, ter filhos sem que nada mude, continuar vivo sem envelhecer. Quando não abrimos mão dessas fantasias mágicas, costuma acontecer o pior: acabamos perdendo ambos. A capacidade de perder, tão lindamente descrita no poema de Elizabeth Bishop "A arte de perder" de 1976, é um tema caro à psicanálise. O que se deixa para trás, cada vez que se elege algo, implica descobrir e bancar o próprio desejo, mas também em aceitar a falta. Falta e desejo são uma dobradinha inseparável, pois só posso desejar aquilo que ainda não tenho.

Abrindo mão de ter tudo, posso ficar com algo. Se não puder abrir mão de nada, perco tudo. A expressão "castração" trazida por Freud, a qual os leigos se apropriaram de uma forma bem literal, nada mais é do que a perda de algo em nome da escolha e o reconhecimento de que tudo tem um custo, seja material, seja psíquico. Abrimos mão do papai e da mamãe – o que pode parecer o fim do mundo entre 3 e 5 anos de idade –, mas ganhamos a possibilidade de nos relacionar com infinitas outras mulheres e homens. Troca justa e vantajosa. A escolha toca num ponto central de nossas vidas. A partir do que escolhemos? A escolha deveria ser baseada no desejo singular de cada um. Essa é a primeira questão difícil. Como sei o que eu desejo? A dúvida nos assola.

Depois de passar a vida tentando agradar, sentir-se amado, manter o Ibope com os pais, como bancar aquilo que é singular e nem sempre combina com o que os outros desejam ou esperam de você? A infância é feita da necessidade de agradar pais e familiares e ser querido acima de tudo. É natural que seja assim, afinal, dependemos da boa vontade desses outros para sobreviver física e psiquicamente. Mas logo cedo começamos a arriscar contrariá-los na forma de birras e desobediências mais ou menos histriônicas. A cada cena de rebeldia corremos para saber se continuamos sendo amados ou não. Na adolescência, jogamos com essa necessidade de contrariar e agradar. Se os pais querem que o filho use o cabelo curto, ele deixará crescer. Se querem que use comprido, ele cortará. Ainda assim, essa rebeldia revela que os pais são a bússola do que deve ou não ser feito. Com o amadurecimento, poderemos escolher o cabelo que desejarmos ter, coincida ou não com a vontade manifesta dos pais. Além de nos pautarmos pelo que imaginamos que os outros esperam de nós, temos outros desafios a enfrentar para aprender a bancar as escolhas.

Por vezes, o nosso desejo nem sempre combina com aquilo que pensamos de nós. Podemos levar algum tempo para descobrir – ou nunca conseguir – o nosso desejo, por medo de encará-lo. O primeiro censor do desejo, o maior carrasco que nos acompanha, somos nós mesmos.

Às vezes, os desejos parecem inconfessáveis e alguns são claramente antissociais. Mas se você pretende lidar com algo tão perturbador a seu respeito, é preferível que saiba o que é do que ficar sofrendo seus efeitos à revelia. O desejo sempre encontra um jeito de se expressar e causar aquele embaraço que todos conhecemos e que costuma ser usado em filmes cômicos. Os sonhos, os lapsos, os atos falhos já são bem conhecidos como aquilo que revela nossas mais bizarras inclinações.

Talvez você deseje algo que aos seus olhos é recriminável, e, de fato, não temos controle sobre o nosso desejo. Mas desejar não é realizar e sempre podemos, se soubermos o que está em jogo, evitar sua concretização. A questão ética aparece aqui e implica assumir as consequências sobre o desejo e o ato que dele pode decorrer.

É aí que entra a escolha do que se perde e do que se ganha bancando o desejo. Não existe sociedade humana sem renúncia. De fato, a civilização se fundamenta na renúncia de parte dos desejos e impulsos. Sem esse gesto não teríamos a menor condição de sobreviver enquanto espécie, estabelecendo os laços que nos são tão caros. Mas tampouco existe uma vida digna sem alguma satisfação. A partir da modernidade, o homem ocidental passou a valorizar a realização das aspirações pessoais e se afastar cada vez mais da ideia de estoicismo. A religião deixa de ser o centro e a promessa de felicidade no paraíso perde espaço para a satisfação nessa vida. As negociações entre a liberdade individual saem do campo da moral, ditada pela Igreja, e passam para o plano da ética, ditada pelo arbítrio de cada um e o direito dos demais cidadãos. Deixar de se pautar na moral, que diz o que é certo e o que é errado *a priori*, nos coloca diante da angustiante experiência da liberdade. A sensação de vertigem que a liberdade de escolha gera pode nos fazer recuar diante da escolha. Pedir que escolham por nós é uma das formas de fugir da responsabilidade pelas consequências de nossos atos. Muitas são as formas de se eximir de assumir uma posição e se deixar tutelar pelos outros.

Daí a dificuldade de ensinarmos os filhos a assumirem também sua parte nas escolhas e, principalmente, nas consequências dessas escolhas. Uma estranha inversão tem se mostrado na educação das crianças. Em nome de uma suposta democratização do laço com os filhos se esquece que o espectro de escolha que lhes diz respeito é restrito à sua potência em realizar a escolha e assumir as consequências. Pensemos no adolescente que antes da idade permitida pela lei já sabe dirigir perfeitamente. Ele tem competência para dirigir, mas provavelmente não terá maturidade para se comportar adequadamente diante de um eventual acidente e, por certo, não responderá perante a lei às consequências do ato de dirigir. Então, não se trata de saber dirigir em termos de habilidade, mas de poder assumir seus atos.

Um exemplo mais banal, da criança que faz exigências aos pais que, por sua vez, se sentem na obrigação de atender. Cabe perguntar qual o poder de escolha de uma criança que depende inteiramente dos adultos. Como ela poderia avaliar as implicações do seu pedido? Só os responsáveis podem entender a complexidade de determinadas escolhas e nem sempre a criança tem sequer a capacidade de alcançar as razões da negativa. Cabe aos pais sustentarem o não, baseados na sua autoridade e no seu papel de indicar o que considerem melhor para a criança. Uma das consequências desse posicionamento é a fúria de crianças e adolescentes, que os pais tentam evitar a todo custo, cedendo muito frequentemente. Essa escolha cobra seu preço na cena seguinte, pois aprendendo que é só uma questão de tempo para os pais cederem, a criança não hesitará em continuar insistindo até conseguir.

Quando os pais chegam para consultas costumam descrever que os filhos são "intensos", com "forte personalidade", enfim, a tirania dos pequenos é alçada a traço de caráter irreversível. O que vemos de fato é que os pais escolhem abrir mão da autoridade por medo de se tornarem autoritários e de despertar o ódio dos filhos por eles. Ao fazerem isso, saem inteiramente de seu papel, que é de suportar esse ódio, já que sua função é de estraga-prazeres mesmo. Se eles não fazem isso, as relações fora de casa o farão. Seja na escola, no contato com outras crianças e adultos, seja na entrada no mercado de trabalho, o mundo não terá como privilegiar cada criança eternamente e teremos jovens amedrontados ou inibidos, sem a menor chance de adquirir autonomia. A insistência de jovens e crianças é proporcional à permissividade dos pais, pois o cérebro infantil não gasta energia em tarefas que não tenham alguma chance de dar certo. Conforme elas vão percebendo a consistência (o quanto o limite é firme), coerência (o quanto o mesmo limite se repete em circunstâncias similares), mais a criança vai se convencer de que não adianta espernear.

A questão é que o limite seja convincente, seja razoável. Não podemos manter todas as fichas na capacidade de convencimento, pois as crianças, como vimos, nem sempre têm condições de entender tudo o que está em jogo. Esse é um ponto em que pais têm se perdido, sustentando explicações infindáveis na esperança de que a criança acabe concordando e ficando de bem com eles. Novamente, a busca de um Ibope junto aos filhos põe a parentalidade em maus lençóis. Na dúvida, escolha educar no lugar de seduzir. É bem mais fácil a longo prazo e ajudará seus filhos a bancarem suas próprias escolhas oportunamente.

63

O NOVO HOMEM
E A PATERNIDADE

Muitos homens relatam que o nascimento dos filhos foi um dos primeiros momentos em que se viram às voltas com a divisão de tarefas e tocados com as questões de sua própria criação num mundo machista que tolhe a liberdade de expressão deles. Costuma-se falar da falta de liberdade das meninas e se esquece como os meninos são muito vigiados em seus gestos, brincadeiras. Meninas são desencorajadas a atividades de liderança e a dizerem não para os outros, mas existem inúmeros brinquedos e brincadeiras que são terminantemente proibidos para os meninos. Roupas femininas, bonecas, cozinhas, algumas danças, gestos são interditados por medo de que eles se tornem homossexuais – embora não seja assim que funciona a orientação sexual. Já as meninas, ainda que enfrentem um mundo adulto bem injusto, têm muito mais liberdade para brincar na infância. Seu problema costuma ser o excesso de proteção e a forma como são subestimadas em suas potencialidades. Pensemos nos homens e seu momento tão delicado, quanto promissor, no qual tentam lidar com o atual paradigma da masculinidade. Tem se falado muito da crise de masculinidade, como se houvesse um tempo no qual o homem fosse um produto acabado e pronto, de características consistentes e claras. Em tempos recentes, em função da Revolução Industrial, a família migrou do meio rural, no qual todos trabalhavam na propriedade, em direção à cidade. Foi nesse momento que, nas sociedades modernas, os homens passaram a ser provedores financeiros da família, trabalhando no espaço público, avessos ao trabalho doméstico e ao cuidado dos filhos, enquanto as mulheres se restringiam ao espaço privado da casa e a dedicação à família. Na atualidade em que o homem perde o lugar de provedor único e o espaço público é de todos, como pensar a posição da masculinidade no mundo? Ou ainda, qual masculinidade faz sentido no século XXI? Engana-se quem imagina que masculinidade e feminilidade sejam qualidades naturais "escritas em pedra". Ao longo da história e em diferentes culturas, os modelos de gênero têm sido muito variados.

Pensemos no homem da Grécia Antiga, que via na relação íntima entre homens jovens e tutores mais velhos uma parte da transição para a masculinidade, ou o ideal das cortes europeias do século XVIII, nas quais perucas, maquiagens, saltos altos, adornavam as figuras masculinas mais proeminentes, cujos hábitos eram invejados. Os modelos femininos e masculinos se modificam ao longo da história. A dona de casa, sustentada e obediente ao marido, que só pensa nos filhos e abre mão da carreira, da vida pessoal e da liberdade sexual já foi o ideal social, mas anda em baixa nos nossos dias.

Sempre existiram homens que cuidavam dos seus filhos, aqueles para quem trocar uma fralda não feria sua masculinidade, assim como sempre existiram mulheres que almejavam estudar e fazer carreira, mesmo que fossem desencorajadas e, muitas vezes, proibidas. A diferença é que essas eram as exceções honrosas que confirmavam a regra: mulheres cuidam dos filhos, enquanto os homens trabalham fora de casa.

Rapidamente, com a valorização do trabalho feminino, a mulher que estuda e faz uma carreira passou a ser o modelo ideal e aspiração das demais. Do "pode" trabalhar para o "tem que trabalhar" foi um pulinho (como vimos no capítulo "Parentalidade no século XXI").

Do lado dos homens, o cuidado com os filhos segue a mesma direção, ainda que a passos bem mais lentos e com um campo bem mais heterogêneo. Ainda assim, a direção clara tem sido no sentido do "pais podem cuidar dos filhos" para o "pais têm que cuidar". Dizer que um pai *ajuda em casa* é querer levar bronca, pois a obrigação passou a ser de ambos. Mas para os homens o campo é também pouco homogêneo e as expectativas, ambíguas. Temos os homens que são canonizados por saírem para passear com os filhos e os que são tratados com desprezo nas mesmas circunstâncias. É de se esperar que, com as mudanças de costumes, ver um pai cuidando de seus filhos se torne tão banal quanto encontrar uma mulher médica ou engenheira.

Um dos problemas que enfrentamos é a confusão entre machismo e masculinidade. Cunhou-se o termo *masculinidade tóxica* para caracterizar uma forma de masculinidade que tem características negativas e que se baseia no machismo, na misoginia e no patriarcalismo para definir os homens. As ideias que norteiam a masculinidade tóxica apontam para o modelo que se aproxima do ideário nazista. O homem ariano seria o suprassumo da humanidade. Dessa forma, homens brancos, cristãos, do hemisfério norte, fisicamente saudáveis e heterossexuais seriam os donos do mundo e os demais seriam aspirantes ou escória. Mulheres, mas também homens negros, pobres, deficientes, homossexuais, do hemisfério sul, com outras crenças, migrantes etc., são considerados inferiores e passíveis de sofrerem violências por serem minorias representativas. São maioria em quantidade, mas minoria no poder. É um grande e perigoso equívoco confundir essa patologia social com a própria masculinidade. A masculinidade pode conter todas as melhores qualidades humanas como altruísmo, solidariedade, bondade, respeito, sensibilidade, amor. Essas não são prerrogativas femininas, são competências humanas.

É interessante notar que, quando falamos de masculinidade tóxica, falamos de uma espécie de desvio, de fragilidade que se tenta esconder por meio da violência. Estudos com sujeitos que cometeram violências contra mulheres revelam personalidades frágeis que se sentem ameaçados em sua masculinidade. Os atos de agressão surgem quando o sujeito se sente inseguro de sua própria potência, seja porque a mulher não quer se submeter a ele, seja por ela demonstrar desejo por outra coisa além dele. A violência ocasionada por questões de gênero e orientação sexual decorre das incertezas sobre a própria sexualidade.

Do outro lado da história, muitos homens têm buscado exercer uma virilidade mais solidária, que aceite as diferenças e que não seja assombrada por um ideal higienista. A paternidade tem sido um dos primeiros momentos nos quais os homens passam a questionar a educação que tiveram e a educação que querem oferecer. Uma nova imagem viril, que não esteja associada à violência e ao abuso de poder, é uma demanda de muitos homens, que se veem privados de participar do dia a dia dos filhos. Expressar afetos, ser respeitado em suas limitações e poder participar da vida dos filhos têm trazido alívio para muitos homens, assim como fazer uma carreira e desenvolver aptidões pessoais têm sido uma conquista para as mulheres.

Como se consegue mudar mentalidades no âmbito social? Movimentos sociais e mudanças nas leis afetam essas relações, mas a chave continua sendo a educação dos garotos e garotas para novas relações. Mas quem serão os adultos a educá-los, senão os mesmos que foram educados num mundo de machões? Temos visto muitas campanhas na mídia que falam das mudanças de costumes e elas, mesmo quando polêmicas ou rechaçadas, acabam por introduzir novas formas de pensar ou, pelo menos, obrigam os sujeitos a discutirem temas por vezes inéditos.

Algumas campanhas publicitárias na mídia, que não têm outro intuito que vender seus produtos, acabam, paradoxalmente, vendendo novas ideias. Uma campanha publicitária polêmica sobre esses temas pode atrair a ira de uns, mas, se tiver o *timing* correto, acertará em cheio as questões que estão sendo formuladas, antecipando-as e galvanizando-as. Assim foi com uma linha de perfume que no Dia dos Namorados mostrou um casal de homens, ou da lâmina de barbear que questionou o próprio conceito de masculinidade. Também as novelas, cujo alcance na camada mais popular é gigantesco, costumam ser um veículo de novas formas de agir.

A nova onda feminista inclui a participação de homens não machistas, cuja masculinidade é potente e não envergonhada. Não se trata de feminilizar os homens, mas de reconhecer sua forma própria de ter qualidades humanas que facilitam a igualdade social.

O novo pai é também o novo homem educando-do a partir de novos modelos de masculinidade e feminilidade e usando a fraternidade para se fortalecer e se assumir em um mundo em plena transformação. Que sejam bem-vindos.

A MÍNIMA DIFERENÇA
ENTRE OS SEXOS

Filhos são fruto do encontro entre homem e mulher e cabe pensar a quantas andam essas relações que os afetam diretamente. O homem que tinha como obrigação sustentar a esposa e manter-se casado sob quaisquer circunstâncias está em extinção. De fato, há controvérsia se ele já existiu, pois divórcios e abandonos sempre ocorreram. O que se espera do homem de hoje é que ele assuma a paternidade de forma integral, dividindo as tarefas com a mulher igualmente.

Esse é o novo paradigma da contemporaneidade e implica uma nova masculinidade e uma nova feminilidade. A mulher também sustenta o lar e o homem também cuida da casa e dos filhos. Para além de alguns países nórdicos ou superdesenvolvidos, onde se está quase chegando numa condição de vida igualitária entre gêneros, o restante do mundo ainda considera um pai ficar em casa para cuidar dos filhos uma aberração ou, no mínimo, fato a ser comentado com surpresa.

Mas, sem dúvida, estamos evoluindo para uma mentalidade na qual a virilidade e a feminilidade não sejam confundidas com prover o sustento e cuidar dos filhos, respectivamente.

Ainda assim, não se pode negar que as mulheres vivem uma experiência intransferível na reprodução. Depois da inseminação – que poderia ser feita artificialmente por doador anônimo já falecido –, tudo se passa no corpo da mulher. Então, quando pensamos em divisão de tarefas igualitárias, algo esbarra nessa realidade brutal: filhos advêm do corpo das mulheres e não há como ignorar os efeitos desse fato da natureza.

Da concepção, passando pelos inchaços, enjoos, azias, sono, pensamento lerdo, pressão sobre os órgãos, dificuldade de respirar, de dormir, de se locomover, infindáveis consultas e exames, frequente necessidade de urinar, calor excessivo, até a indescritível experiência do parto, os cuidados com o recém-nascido e o aleitamento recomendado pela Organização Mundial de Saúde (oms), temos uma odisseia. Sem dizer que todas as outras tarefas femininas continuam sendo exigidas e concorrem com a gravidez, parto e pós-parto. Ainda que essa mulher tenha ao seu lado todo o apoio do pai da criança, do companheiro ou da companheira numa divisão igual de tarefas, veremos que a conta não fecha. A divisão verdadeiramente igualitária implica considerarmos a diferença entre as experiências: na reprodução, o nível de exigência entre homens e mulheres é incomparável. Equiparidade é a forma mais adequada de pensar o compartilhamento de tarefas.

Seria interessante imaginar um mundo no qual se desse uma greve reprodutiva das mulheres. Se seguirmos essa fantasia, talvez fiquemos mais alertas sobre os riscos de não apoiá-las nessa função. No entanto, não podemos esquecer dos homens, cujo suporte dado às companheiras depende de políticas públicas como a licença-paternidade, por exemplo.

Mas voltemos ao mundo atual.

As mulheres não só não recebem apoio na gravidez como, em sua maioria, recebem salários menores com a justificativa de que engravidam; são as primeiras a serem demitidas na volta da licença-maternidade; não encontram creches onde deixar os filhos; voltam a trabalhar antes do período recomendado para desmame; são as que faltam quando a criança fica doente e as que acompanham a vida escolar e consultas médicas dos pequenos. Elas se queixam da responsabilidade de pensar mais sobre os filhos, mesmo quando dividem tarefas, o que vem sendo chamado de carga mental. Ou seja, elas assumem o planejamento mais do que os outros cuidadores, mesmo quando eles executam com dedicação o que precisa ser feito. Lembrar dos presentes em aniversários de amiguinhos, das consultas periódicas aos diversos profissionais, das reuniões escolares e outras infinitas tarefas têm sido incumbência assumida por elas, seja porque existe um traço cultural nessa divisão, seja porque subestimam a capacidades dos outros assumirem essa função a contento. Claro que, com um pouco de treino, qualquer pessoa bem intencionada poderia assumir essas funções, mas isso exigiria juntar uma vontade real de fazê-las com a confiança da mulher de que o outro, mesmo fazendo de seu próprio jeito, é capaz. Há uma dupla resistência, então: das mulheres em abrir mão de seus superpoderes e dos homens em se aventurarem numa tarefa tão dispendiosa.

Isso tudo seria apenas "a vida como ela é", ou seja, direitos a serem conquistados com muita luta e insistência, se ainda não tivéssemos a cereja do bolo.

Um evento claramente observável na clínica psicanalítica, nas redes sociais e na mídia em geral: as mulheres se sentem incapazes por não dar conta do recado. Seja sobre o divã, seja nas consultas psicanalíticas na rede pública, mulheres de diferentes níveis sociais se sentem deprimidas, angustiadas, fóbicas, surtadas, doentes, enfim, sofrem na tentativa de responder a uma demanda imperiosa e inexequível. Ao invés de reconhecerem que se trata de uma missão impossível e de ideais que devem ser revistos, elas se criticam duramente por não conseguirem cumprir o esperado. O ideal de super-heroína, ao invés de ser questionado e rejeitado, acaba por levá-las ao colapso. Sentem-se em falta com o trabalho/carreira, com a vida amorosa, com os cuidados com o corpo e, acima de tudo, com os filhos. A perspectiva é de que elas deveriam e poderiam estar 100% em cada uma dessas atividades. Ao invés de se rebelarem contra o paradigma da supermulher, não abrem mão da fantasia onipotente supondo que outras mulheres consigam fazer "tudo ao mesmo tempo agora". São tão perseguidas pelo imperativo de ter que dar conta de tudo sozinhas que acabam por reforçá-lo. Acreditam que há quem consiga fazer tudo integralmente e se ressentem de que não sejam elas. É só uma questão de tentar mais um pouquinho...

Como o sujeito humano não se dobra inteiramente aos imperativos idealizados, elas acabam por adoecer e revelam, a contragosto, seus limites. Ao adoecer, a mulher se justifica para si e para os outros ("se não tivesse doente, conseguiria fazer tudo"), mas cria uma oportunidade para cuidar de si. Cabe elogiar o adoecimento nessas horas, pois é ele que obriga o sujeito a perceber que está se sacrificando por uma imagem impossível, em vão.

No dia a dia, enquanto lutamos pelas leis (que, com sorte, beneficiarão nossas bisnetas, quando muito), cabe aceitar, pedir e exigir todo o apoio possível e denunciar as formas de negligência contra mães e – por que não? – pais que se ocupem verdadeiramente dos filhos. Algumas mulheres nem se imaginam no direito de dividir tarefas, exigir presença, pensão ou que for o caso.

Não se trata de vitimizar as mulheres e culpabilizar os homens. Longe disso! Seria péssimo se os dois vivessem a mesma experiência de imersão e não houvesse ninguém para cuidar do mundo lá fora. São vivências que encerram ônus e bônus diferentes. Sentir o bebê dentro de si pode ser mágico ou assustador (costuma ser um pouco dos dois) e pode causar no pai um misto de inveja e alívio de estar de fora. Para que a dupla dê certo é de se esperar que funcione como as matrioskas, bonecas russas que são encaixadas umas dentro das outras. O bebê é a boneca menor, envolta pela mãe, que por sua vez está envolta pelo pai ou companheira e assim sucessivamente. Em seguida, temos a família de origem de ambos, as instituições sociais e o Estado. Quando os elos dessa cadeia se rompem, mães e bebês são expostos e se tornam vulneráveis. Não faltam exemplos de abandonos e maus-tratos de menores que escondem histórias de abandono e descaso com mães e pais. As crianças herdam a vulnerabilidade das famílias. Quando dizemos que mães adoecidas podem causar sofrimento psíquico no bebê, devemos levar em consideração que isso só ocorre se essa mãe é a única fonte de cuidados do bebê. Uma criança cuidada por mais pessoas dificilmente ficará à mercê de uma situação prejudicial. Mães depressivas, por exemplo, não são a causa de danos psíquicos ao bebê. Ambientes depressivos sim, ou seja, se ele está em contato permanente e exclusivo com uma mãe adoecida ou se os demais cuidadores também estão deprimidos.

Então, temos pelo menos duas lutas a encampar. Uma diz respeito aos direitos sociais de mães e pais, conforme observado em alguns países mais desenvolvidos, de forma a equalizar as diferentes necessidades e obrigações de cada um, e outra na qual trabalhamos para repensar nosso modelo de maternidade, paternidade e reais necessidades dos filhos. Se as mães continuarem a tentar disputar o cargo de supermulheres, ficará impossível unir suas forças para conquistar direitos iguais. Tenhamos isso em mente ao criar meninos e meninas para que possam brincar de ser pai ou de ser mãe, de ser dono ou dona de casa, de ser profissional de qualquer área. Isso significa que meninos podem brincar de boneca e casinha e meninas podem brincar de bombeiro e piloto de corrida. Se quiserem.

POR QUE
O FEMINISMO HOJE?

Os adolescentes estão sabendo mais sobre os avanços feministas do que os estudiosos nas universidades. Campanhas como #chegadefiufiu e outras iniciativas da sociedade civil partiram da molecada, fazendo com que pais e mestres saíssem correndo para fazer a lição de casa. É importante saber do que se trata, se quisermos acompanhá-los, protegê-los e estar preparados para eles. Educamos as crianças a partir do mundo no qual vivemos, sem saber para qual mundo as estamos preparando, pois muitas mudanças são imprevisíveis. Como um pai dos anos 2000 poderia imaginar os efeitos das redes virtuais duas décadas depois? Uma coisa, no entanto, dá para confiar: os avanços nos direitos civis tendem a continuar, mesmo que existam momentos de retrocesso. Tem sido assim há séculos. Uma breve discussão sobre o movimento feminista pode nos ajudar a não cair do bonde da história, quando estivermos nos deparando com a educação dos filhos. Existem várias correntes do feminismo, por isso seria mais correto falarmos em feminismos. Para ser feminista não é preciso ter nascido mulher. Um feminismo que exclua os homens não faz mais sentido, pois confunde feminismo com sexo de nascimento. Uma das características mais surpreendentes do movimento feminista é ser global, civil e pacifista. Se pensarmos nas transformações que ele tem sido capaz de promover no mundo, é incrível seu caráter pacífico. Em contrapartida, a crescente violência contra as mulheres, na forma de assassinatos e estupros, está sendo associada por especialistas à reação às mudanças de costumes. O movimento é pacífico, mas a resistência a ele nunca foi. Mulheres morreram para que todas votassem. Mulheres também morreram reivindicando melhores condições de trabalho. Atualmente, estão morrendo vítimas de homens que querem reafirmar seu direito de propriedade sobre elas. É comum que assassinos aleguem que as vítimas queriam se divorciar, terminar o namoro ou negavam ter relações sexuais com eles. E essa teria sido a motivação do crime.

Essas justificativas se baseiam na ideia de que a mulher é uma propriedade que não tem direito ao desejo próprio. O *não* das mulheres é inaceitável para muitos homens e mulheres!

O movimento feminista começou com as mulheres, mas sempre houve homens entusiastas ao lado delas. Temos homens e mulheres feministas e, por outro lado, homens e mulheres que se identificam com um discurso machista. Feminismo e machismo não são opostos. Feminismo é um discurso inclusivo e igualitário que tem várias organizações sociais de estudos e trabalho. O machismo é um discurso que busca manter os privilégios dos homens sobre as minorias, não é movimento organizado, mas o ranço de uma ideia ultrapassada e insustentável, que considera homens com mais direitos que as mulheres.

O feminismo começa com a luta das operárias por melhores condições no trabalho e pelo direito ao voto. Logo ficou claro que a pauta das mulheres brancas sufragistas não dava conta das questões das mulheres negras e pobres, que sempre estiveram em situações mais prementes.

A partir daí começou-se a discutir as questões de raça, classe social e orientação sexual. Afinal, ser negra, pobre e lésbica é diferente de ser branca, rica e heterossexual, em termos de preconceito e falta de reconhecimento social. Em seguida, o próprio gênero começou a ser repensado para dar conta das mulheres transgênero, dos homens que lutavam ao lado das feministas e de outras categorias sociais sem visibilidade. Para se colocar ao lado do feminismo basta se alinhar a um desejo de igualdade de direitos entre seres humanos independentemente de gênero, raça, classe social, origem ou orientação sexual. Refiro-me aqui ao feminismo com o qual me identifico e que me parece bem mais coerente, pois pretende encampar uma luta que evita categorias que criem inimigos aleatórios. Se nos basearmos apenas no sexo de nascença perdemos a oportunidade de incluir outras minorias igualmente sem representatividade social. Mesmo quando são maioria numérica (mulheres, negros, pobres), são considerados minorias em termos de representatividade. Cultuar um inimigo comum, no caso os homens brancos e ricos, sem levar em consideração o que pensa cada sujeito, é ignorar as diferenças individuais.

A pauta feminista retomou com toda força nos anos 2010, depois de um período de ostracismo no qual foi confundida com ódio aos homens e à feminilidade. Queima de sutiãs, greve de sexo e o visual desleixado foram sendo substituídos por uma miríade de modelos menos calcados nos homens. A juventude não se identifica mais com um julgamento que considera as feministas feias e masculinas. Essa visão mudou. Os adolescentes estão antenados em uma nova onda feminista que pais e mães não parecem conseguir acompanhar e que revela o que nos espera em termos de transformação.

As redes sociais ajudaram a dar visibilidade a casos de abusos, violência contra a mulher, e comportamentos corriqueiros passaram a ser rechaçados, como o fiu-fiu, por exemplo. A ferramenta virtual foi capaz de viralizar movimentos como #metoo, que tiveram efeitos importantes na indústria cinematográfica, derrubando homens poderosíssimos, até então considerados intocáveis, por denúncias de abuso.

A tipificação do assassinato das mulheres por elas serem mulheres como feminicídio teve efeito de conscientização. A nomeação do assassinato ajuda a visibilizar o ódio à mulher e desfaz a ideia de crime passional ou crime comum. A Lei Maria da Penha foi um avanço importante, verdadeiro marco no âmbito legislativo. O mesmo ocorreu com a ideia de violência obstétrica, termo que vem sendo criticado, pois revela aquilo mesmo que se quer esconder: a presença de procedimentos invasivos ou abusivos corriqueiros de que as mulheres são vítimas durante o trabalho de parto. Embora não esteja tipificado como crime, o uso do termo trouxe grande reflexão sobre as condições do parto na atualidade e revelou mais uma vez a prevalência de violência na população feminina, sobretudo a negra. A palavra *misoginia* foi resgatada com toda a força e passou a fazer parte do vocabulário diário.

Todo esse movimento faz parte de um processo lento e gradual de mudança de mentalidades que afeta diretamente mulheres, homens e seus filhos, melhorando a longo prazo a qualidade das relações sociais e afetando positivamente a família como um todo.

Esse resgate da questão do feminismo serve para pensarmos que não existe, hoje, laço social, família e parentalidade que não esteja afetado por esse evento histórico. Trata-se de um movimento da sociedade civil que encampa várias lutas, como o fim do casamento infantil (o Brasil é o quarto país no mundo com maior número de casamentos de crianças de 12 a 16 anos, ainda que seja uma união ilegal e contrária ao Estatuto da Criança e do Adolescente), o fim da violência contra a mulher, a equiparidade salarial, a equiparidade na divisão das tarefas domésticas e no cuidado com os filhos. Fica claro que, cada vez que se conquista um terreno nesse movimento, o homem passa a ter que mudar seu comportamento e as crianças passam a receber uma nova educação e a ser criadas por diferentes pessoas, não apenas a mãe ou outras mulheres.

E os homens? A quantas andam?

Ao contrário do que alguns acreditam, feminismo é tão libertador para o homem quanto para a mulher. Ele libera o homem de ser só o provedor, aquele que chega para impor o castigo nas crianças no fim do dia, temido mais do que amado, sem direito a demonstrar seu sofrimento e estabelecer relações de intimidade nas quais possa desabafar e falar sobre seus anseios e vulnerabilidades. Exercer uma masculinidade, cuja força venha da capacidade de proteger e não de ser violento, é um grande ganho para os homens cansados de ter que bancar os durões. Se a mulher passa a poder ter uma carreira e independência financeira, ao homem também é dado o direito e dever de se ocupar dos filhos.

Momentos de transição como o que vivemos requerem grandes ajustes e inevitáveis desencontros. É natural que as relações estejam mais trabalhosas, pois ambos parecem ter que repensar seus papéis. Daí o surgimento de grupos de homens que sentam periodicamente para discutir suas questões e trocar experiências. Esses grupos têm surgido em todos os países e costumam ter efeitos terapêuticos, mesmo quando não são dirigidos por profissionais. A masculinidade associada à violência vai dando lugar a uma masculinidade mais à altura do homem civilizado. Afinal, confundir masculinidade com violência, medo e falta de afetos não é digno de nenhum ser humano. O feminismo aponta para uma nova mulher, mas também para um novo homem. Devemos estar preparados para o mundo dos nossos filhos, no qual se espera que homens e mulheres sejam igualmente respeitados.

POLÊMICA DE GÊNERO

As pessoas têm estado muito aflitas com as questões de gênero. O tema saiu do campo de estudos científicos e passou a ser usado nas conversas do dia a dia para o bem e para o mal. Chegou a influenciar decisões políticas importantes e divide as pautas sem que ninguém se dê ao trabalho de explicar aos leigos, que não têm obrigação de dominar um assunto tão complexo, do que se trata afinal essa questão. A primeira coisa a ser pensada é que temos que diferenciar sexo, gênero e orientação sexual. Três níveis de experiência humana que devem ser explicitados, caso contrário as discussões mal giram em torno do mesmo assunto.

O sexo diz respeito ao aspecto fisiológico e anatômico e se refere ao corpo com o qual nascemos. O sexo do bebê é um dos grandes marcadores sociais da entrada da criança na nossa cultura, ao passo que em outras culturas isso pode ser encarado de forma bem distinta. Alguns grupos indígenas só passam a separar meninos de meninas com a entrada da puberdade indicada pelo aparecimento de pelos, menstruação... A partir daí, meninos passam a ter tratamento e incumbências diferentes das meninas e os grupos são separados.

Entre nós, a ansiedade sobre o assunto já começa na gestação, com ultrassons e exames que revelam o sexo o quanto antes. Quem espera o parto para saber, o faz para melhor aproveitar uma grande revelação final. Diante da definição, uma série de comportamentos serão esperados dos pais e familiares: decoração do quarto, enxoval, presentes, escolha do nome. Sabe-se que pais, mães e cuidadores seguram, falam e manuseiam meninos e meninas de forma diferente, mesmo não tendo consciência disso. Os adjetivos são diferentes e antes mesmo que a criança saiba quem ela é teremos expectativas bem específicas para cada um.

Com a confirmação do sexo, imaginamos saber como criá-los e os planos são bem diferentes. Sonha-se com meninas lindas (adjetivo mais usado para se elogiar uma menina/mulher) e com meninos bem-sucedidos socialmente (fortes, inteligentes, corajosos, líderes). Brinquedos e brincadeiras serão selecionados por sexo. Mas, de fato, o que se tem notícia até aqui é apenas o sexo de nascença da criança. Esse dado, no entanto, não garante o gênero, embora o afete profundamente. Ter nascido do sexo masculino e criado num mundo masculino não garante que a criança se sinta identificada com a masculinidade. Ela pode se sentir muito mais atraída pelo comportamento das mulheres. Essas identificações são inconscientes e não podem ser previstas ou forçadas. Algumas pessoas se sentem muito bem com seu corpo de nascença, mas se reconhecem como femininas e usarão trajes de mulher. Um exemplo é a artista Rogéria, falecida em 2017, ou Pabllo Vittar, que não relata intenção de se operar para mudar o sexo de origem. Nascidas do sexo feminino também podem se sentir masculinas e se vestir como tal. Algumas pessoas se sentem muito mal de terem nascido com o corpo de um homem ou de uma mulher e desejam fazer cirurgias e usar hormônios para mudar a aparência e se tornar homens ou mulheres transexuais. É importante lembrar que há muito tempo os seres humanos interferem na própria aparência de formas cada vez mais radicais, fazendo cirurgias plásticas e implantes em todas as partes do corpo. Implante de cabelos, dentes, próteses mamárias, penianas; cirurgia plástica no rosto, nas orelhas, nos genitais, lipoescultura, enfim, nunca parecemos muito conformados com nossa aparência original. Os transexuais vivem isso de forma radical e associada ao gênero.

O outro nível da conversa tampouco está definido pelo sexo de nascimento ou identificação de gênero e se trata da atração que sentimos por homens, mulheres ou ambos.

Então, temos três coisas relacionadas, e essa é grande questão a ser discutida. Sem fazer essa diferenciação, fica difícil entender do que se está falando e das inúmeras situações com as quais poderemos estar lidando. Existe um considerável grau de independência entre o sexo de nascimento (feminino, masculino, intersexo), o gênero (homem, mulher, trans, não binário) e a orientação sexual (homossexual, heterossexual, bissexual, pansexual). O sexo de nascimento é definido pelos caracteres sexuais biológicos, anatômicos e fisiológicos ligados aos cromossomos e ao funcionamento do organismo. Para além de homens e mulheres, alguns sujeitos nascem com disfunções raras nas quais o sexo não fica inteiramente definido. São considerados intersexo por terem caracteres externos do gênero masculino, por exemplo, internamente femininos ou o inverso. Por vezes, só serão percebidas as incongruências na puberdade, quando os hormônios secundários acabam por revelar o oposto do que se esperava. Meninas podem apresentar pelos no rosto e meninos o crescimento de seios, ou outras transformações inesperadas.

O gênero é outro departamento. Tem estreita relação com o sexo de nascimento, mas não há uma relação garantida ou inequívoca entre os dois. Sabemos que conforme se nasça menino ou menina seremos tratados de formas bem distintas, mas isso não garantirá que a criança se identifique com o modelo oferecido a partir do seu sexo de origem. Algumas pessoas acreditam que basta forçar a barra e o sujeito ligará corpo e identidade sexual, mas a coisa não funciona assim. A identificação de gênero é inconsciente e não passa pelo desejo ou escolha dos pais. Com a liberação dos costumes, as pessoas têm tido coragem de revelar suas verdadeiras inclinações. Recomendo a comédia francesa, baseada na vida do diretor e ator principal Guillaume Gallienne, que em português foi chamada *Eu, mamãe e os meninos* (*Les Garçons et Guillaume, à table!*, 2013), que mostra com humor e leveza como os pais são incapazes de criar os filhos a partir unicamente de seus projetos pessoais. O filme surpreende e ensina. O gênero diz respeito à forma como cada um de nós lida com o que chamamos de mulher ou homem em termos sociais, para além do biológico. Diferentes culturas vão definir de formas diferentes o que é ser uma mulher ou o que é ser um homem. Cada época também terá uma visão própria de como devem aparentar e o que podem homens e mulheres.

Nem sempre o corpo de nascença coincide com a sensação profunda que o sujeito tem do gênero. Cada vez mais as pessoas reivindicam o direito de viverem livremente a identidade de gênero independente do sexo de nascimento e poderem circular no espaço público sem serem molestadas por isso.

A orientação sexual é outro plano da conversa e diz respeito ao gênero pelo qual nos sentimos atraídos sexual e amorosamente. Não há a menor possibilidade de revertê-la em função do desejo alheio. Se você gosta de homens ou de mulheres, imagine alguém decidir que a partir de agora você deverá mudar sua preferência. Alguma chance? Óbvio que não. É claro que em algum momento de nosso desenvolvimento e inexperiência sexual tenhamos que passar por algumas situações para descobrir do que de fato gostamos, mas nada disso criará desejos onde não houver algo *a priori*. A forçação de barra tem levado jovens ao suicídio, à infelicidade crônica, ao casamento de fachada ou à vida dupla.

Pensando nesses três níveis da sexualidade, a saber, sexo de nascença, identificação de gênero e orientação sexual, veremos que as combinações são infinitas. Teremos pessoas do sexo masculino que se identificam como mulheres trans ou travestis, mas podem ser casadas com uma mulher. Pessoas do sexo feminino que gostam de homens com quem têm filhos, mas que se identificam como homem trans. Existem várias combinações possíveis e o que se pleiteia no século XXI é que as pessoas possam amar e se apresentar socialmente como desejarem, sem serem agredidas ou mortas por causa disso.

Diante da falta de justificativa para impedir que o sujeito decida o que fazer com seu corpo e ame quem quiser, existe a ideia de que os homossexuais seriam perversos, pedófilos ou contrários à natureza. É muito importante desfazer esse equívoco, que inclusive serve para acobertar redes internacionais de pedófilos bem casados e pais de família, que por serem heterossexuais gozam de uma espécie de invisibilidade.

Ter pais homossexuais não faz de ninguém homossexual. Muitos pais heterossexuais criam filhos homossexuais e o inverso também é verdadeiro. As razões pelas quais nos tornamos mulheres, homens e desejamos mulheres e homens são insondáveis e não devem ser perseguidas por pais e mães. Já em 1905, Freud nos lembrava quantos gigantes de nossa cultura foram gays e lésbicas ou gostavam de se travestir.

Aos pais cabe criar os filhos com amor e proteção, oferecendo os costumes da nossa cultura e respeitando as inclinações das crianças. O problema não é se os filhos se tornarão homens ou mulheres ou a quem eles amarão. O problema é perder o amor da família e o respeito da sociedade por causa disso.

VIDA VIRTUAL
EM FAMÍLIA

A onipresença dos *gadgets* em nossas vidas é um fenômeno irreversível e não adianta vociferar sobre seus efeitos, eles chegaram para ficar. Vivemos numa sociedade capitalista e cada nova invenção que caia no gosto do povo produzirá cifras incalculáveis da noite para o dia. Daí que é de se esperar cada vez mais novidades na área. A corrida do ouro está na busca por inovações tecnológicas no campo da virtualidade. Historiadores têm comparado o período em que vivemos com a Revolução Industrial. A sensação de perplexidade e a dificuldade de encontrar parâmetros para novos tempos fazem parte desses momentos históricos de grande transformação. Lembremos do impacto da invenção da luz elétrica, do telefone, da vitrola, do carro, do cinema, do avião. O mundo virava de ponta-cabeça e a imaginação não tinha limites. Os costumes acompanhavam as novidades e ser moderno era a grande aspiração. Moda, artes plásticas, literatura, política, medicina, todos os campos se transformaram, criando novas condutas nas relações sociais. As mulheres cortavam o cabelo curto e subiam a barra das saias para se adaptarem à rapidez dos tempos modernos. Os mais velhos viam com desconfiança um mundo que parecia perder os limites conhecidos e se tornar cada vez mais incompreensível. Momentos como esses criam incertezas, pois de fato não temos como prever seus desdobramentos. Correntes de otimismo e pessimismo costumam se alternar, levando alguns ao entusiasmo e outros à grande ansiedade. Nos dias de hoje, vivemos a revolução virtual e fatos antes só pensados na ficção se tornaram banais. A revolução virtual tem um efeito vertiginoso e estamos no momento do deslumbre e da incapacidade de resistir ao seu canto de sereia, assim como ficamos deslumbrados com a luz elétrica, o automóvel e a vitrola.

O telefone intermediado pela telefonista virou o celular na mão das crianças. Mas muito além da função telefônica, o celular equivale à máquina fotográfica, televisão, jornal, rádio, livro, redes sociais, e-mails, máquina de escrever, jogos, arquivo de pesquisa, guia de trânsito, acesso ao táxi, banco, loja, restaurante, som, enfim, são tantas as possibilidades que 24 horas do dia olhando para a caixinha preta pode parecer pouco. No que tange às crianças, o controle sobre o conteúdo é quase irrisório e sujeito a vazamentos constantes.

Se alguém viesse direto dos anos 1980 para cá, ficaria perplexo ao ver crianças e adultos olhando fixo para um pequeno retângulo achatado, falando sozinhas, dando risadas sem causa aparente, no restaurante, no carro, no cinema. Objeto onipresente que passou a fazer parte do nosso corpo.

Começam as polêmicas que costumam demonizar *a priori* tudo aquilo cujo efeito real ainda se desconhece. Mas vale refletir, pois alguns efeitos já se fazem notar e nem todos são negligenciáveis.

O uso excessivo tem demonstrado alguns efeitos nefastos, mas o uso consciente é espetacular. As pesquisas que nos faziam despencar para a biblioteca do outro lado da cidade estão hoje ao alcance da mão. Notícias chegam a nós em tempo real e temos serviços para todas as necessidades por meio dos aplicativos. Poderíamos gastar páginas descrevendo o que se encontra nesses dispositivos e, ainda assim, não daríamos conta, pois aplicativos são lançados diariamente no mundo todo oferecendo mais e mais serviços.

A maior preocupação tem sido com o tipo de laço social que as crianças podem fazer nessa nova realidade. Afinal, diferentemente das pessoas mais velhas, o mundo lhes está sendo apresentado já com esses aparelhos, assim como nos foi apresentado com luz elétrica, sem questionamentos. Não existe um antes para elas poderem comparar o que se perde e o que se ganha com essa aquisição. Os efeitos na formação da personalidade são irrefutáveis.

Adultos também dividem mesas e situações sociais nas quais cada um está se havendo com o celular, e casais deixam a conversa de lado para ver o que se passa nas redes, parando apenas para tirar fotos juntos para postar, voltando imediatamente para a interação com a máquina. O registro e o compartilhamento das experiências se mostram mais importantes do que a vivência em si. Parecer ser tomou definitivamente o primeiro lugar. Estudos mostram que as pessoas são profundamente afetadas pelo volume de reações que provocam nas redes e se sentem oprimidas pela aparente felicidade dos outros. A intimidade passou a ser pública e as opiniões são jogadas nas redes sem que as pessoas se sintam responsáveis por averiguar sua procedência, criando uma enxurrada de informações de caráter duvidoso e repercussões imprevisíveis.

Bebês que mal se sustentam sentados são colocados frente ao tablet para não atrapalharem a refeição dos adultos. Pode ser um alívio para quem está comendo e uma diversão para quem está assistindo a um filminho, mas fica claro que a experiência de interação com adultos ou mesmo com outras crianças foi preterida em relação à máquina que passa a ser o verdadeiro interlocutor dos pequenos. Pais se perguntam se tanta exposição pode estar fazendo mal aos filhos, ao mesmo tempo que não resistem, eles mesmos, a ficarem o tempo todo no celular ou usá-lo como babá. Costumam se escudar nos outros pais que também o fazem, justificando com o famoso "mas todo mundo faz!". Aliás, essa é a resposta que os adolescentes costumam dar quando são pegos fazendo algo errado.

A percepção dos exageros é geral e muitas pessoas têm encontrado formas de evitar o isolamento que os dispositivos criam: saem de redes sociais ou evitam usá-las quando na companhia de outros. Mas existe uma diferença muito grande entre a experiência de um adulto que busca inibir o uso excessivo das redes e aplicativos e a da criança. Se a criança é criada numa interação constante com os aparelhos, aquilo passa a ser parte integrante da vida dela, assim como o carro é parte da nossa. Ela aprende que aquela é a forma principal e desejável de se relacionar com as outras pessoas, havendo poucas experiências que contradigam isso. Como esperar que elas conversem com os pais à mesa do jantar na adolescência, por exemplo, se elas não tiveram repertório para isso?

Adolescentes têm sido vítimas de uma armadilha que consiste em se relacionarem com os amigos principalmente por meio de mensagens virtuais. Ficam em casa isolados, mas se sentem conectados a outros jovens por esses meios. No entanto, a interação virtual é muito pobre perto do encontro pessoal e não oferece as ferramentas para lidar com os silêncios, as expressões faciais e corporais e os afetos que o tête-à-tête cria. Os encontros pessoais passam a ser evitados e os virtuais se intensificam, causando a experiência de solidão e falta de intimidade real. Depressões e suicídios adolescentes têm sido associados a esse fenômeno de isolamento, que a internet não causa, mas incrementa.

A restrição do uso deve começar com os pais restringindo a si mesmos, e, posteriormente, aos filhos com a mesma insistência com que eles educam a escovar dentes, tomar banho, fazer lição ou outras batalhas diárias que fazem parte da tarefa educativa. Ou seja, não há trégua para quem está educando, pois a longo prazo, o barato sai caro. Sabendo usar, esses aparelhos são fantásticos e encerram possibilidades inesgotáveis.

Outra questão é o acesso a conteúdos inapropriados que fatalmente a criança verá no seu aparelho ou de algum coleguinha. É fundamental que os adultos não se furtem a discutir com as crianças os assuntos com os quais elas tiveram contato, e não percam a oportunidade de transformar o material potencialmente traumático em algo passível de ser elaborado pela criança. Não existe a possibilidade de controlar toda a informação, mas existe a possibilidade de ajudá-las a fazer a crítica.

Se usarmos os *gadgets* de forma negligente e abrirmos mão de educar seu uso, os riscos são incalculáveis para o desenvolvimento de nossos filhos.

Na direção oposta, temos uma ferramenta poderosíssima para quem tiver coragem e fôlego de submetê-la ao projeto educativo.

EDUCAR
EM TEMPOS
DEPRESSIVOS

Cada época tem suas exigências e pressões próprias, que produzem alegrias e sofrimentos próprios. Portanto, cada momento histórico e cada cultura terão suas dores, suas doenças e seus tratamentos. Se os séculos XIX e XX foram famosos pelos casos de histeria, que deixavam os médicos loucos em busca da cura, hoje é a depressão que nos assola. Tomam-se antidepressivos com uma naturalidade inédita. Mas qual é o sofrimento próprio do nosso tempo e que se apresenta, predominantemente, como doença depressiva?

Fazemos parte da *geração 100%*, aquela na qual se aspira a não ter que abrir mão de nada. Os direitos adquiridos se tornaram imperativos, portanto, se você *pode* fazer, *deve* fazê-lo. Como escolher entre filhos, carreira, casamento, liberdade, manter a forma, vida pública, se você deve ter/ser tudo? Quem abre mão de algo parece assinar um atestado de incompetência, ao invés de ser elogiado por ter assumido seus desejos e suas limitações. O risco recorrente é de ficarmos 100% insatisfeitos com tudo. A satisfação é sempre parcial. Não existe a refeição que acaba com toda a nossa fome. E se existisse seria um pesadelo. Sentimos falta de algo, desejamos, realizamos o desejo, ficamos parcialmente satisfeitos, para depois recomeçarmos a desejar novamente. Isso que nos move é a falta e, ao invés de evitá-la, temos que aproveitar o motor que ela cria para que sigamos realizando.

Há muitos anos tratei de uma criança cujos pais procuravam dar tudo o que ela poderia querer, caso corriqueiro hoje em dia. Eles tinham sofrido grandes privações na infância, enriqueceram e não queriam que o filho passasse pela mesma situação. Acontece que o moleque tinha um sintoma curioso, que vinha junto com um desânimo crônico: ele perdia ou estragava tudo o que ganhava, sem intenção consciente. Quanto mais ele ganhava, mais deixava cair e quebrava, mais perdia, mais emprestava para quem não devolvia, mais estragava os objetos que os pais insistiam em sair correndo para repor. Depois ficava culpado e triste por ser tão desleixado e desatencioso. Entre a privação que trouxe tanto sofrimento aos pais e o excesso de oferta que deixava o filho sem espaço para desejar, foi preciso fazer uma grande negociação. Não eram presentes que ele esperava ganhar dos pais, mas algum tipo de presença que o ajudasse a sustentar a falta o suficiente para voltar a desejar. Nesse ponto, pais e mães se subestimam. Supõem que são menos importantes do que os objetos que podem oferecer. A cada perda, meu paciente, sem saber, demonstrava o quanto eram de fato mais importantes. Ainda que demandasse mais e mais, o fazia por não conseguir nomear o que realmente fazia falta: ficar sem, para poder descobrir o que queria. Algo como o intervalo entre as refeições que nos permite ter fome outra vez e o tempo para imaginar o que desejamos para saciá-la. O contrário disso é a sonda que alimenta ininterruptamente deixando o sujeito passivo e sem desejo. Vivemos numa cultura de tudo adquirir, tudo ter e, ao mesmo tempo, nada desejar.

Essa dinâmica tem tido um impacto direto sobre a criação dos filhos, com os pais se queixando da falta de interesse das crianças e dos jovens no mundo em geral, ficando confinados às telas, essas, sim, alvo de grande interesse e investimento. Na relação com a virtualidade, o desafio e o prêmio andam *pari passu*. As crianças são capazes de grande esforço e dedicação para ultrapassar etapas em jogos virtuais, onde as recompensas são imediatas e os fracassos exigem novos esforços. Mas as perdas virtuais não causam os embaraços sociais da perda de um pênalti num jogo real, por exemplo.

Outra questão diz respeito ao imperativo de ser feliz e bem-sucedido, grandes valores da contemporaneidade. Mas quando felicidade se torna imperativo, a contradição é inevitável. Felicidade como um estado perene e estável a ser alcançado não é coisa deste mundo e ignorar isso tem sido uma das causas, paradoxalmente, do aumento de infelicidade e da impossibilidade de apreciar os momentos de prazer e, sim!, de felicidade. Porque ela existe, mas não vem a granel. A ideia de que haveria um platô de satisfação a ser alcançado, reforçada pela presunção de que algumas pessoas estão vivendo uma experiência de puro idílio, impede que se aproveite a vida a cada momento, pois se almeja o grande momento de ser completamente feliz, sempre alhures. A vida passa, a grande felicidade nunca chega e você reconhece que os momentos pontuais e esporádicos de prazer eram "a" felicidade esperada. Nunca é tarde para reconhecer esse equívoco e começar a desfrutar.

Quanto ao sucesso, há controvérsias. Ele tem sido definido em termos de aquisições materiais e reconhecimento midiático. De preferência, ambos. Uma família bacana, um casamento amoroso, amizades sinceras, uma parentalidade gratificante não costumam contar para quem imagina que sucesso é poder aquisitivo e celebridade. O curioso é que alguns jovens têm feito um movimento de recusa nessa direção. Não se interessam por carro próprio, mesmo quando têm condições de ganhar um dos pais, têm sido reticentes quanto a escolher carreiras de *status* socialmente reconhecido, não se preocupam com o imóvel próprio, parecem menos afeitos a uma vida baseada em bens – para desespero dos pais que não entendem como puderam gastar tanto na educação de quem prefere ser barman do que engenheiro. Toda geração tenta uma saída diferente da geração anterior. A família modelo dos anos 1950 deu lugar à família *hippie* dos anos 1960, que deu lugar ao desbunde disco dos anos 1970, seguido pelos *yuppies*, pela virtualidade etc. A necessidade de entender de que serve trabalhar tanto – quando o que mais se quer é estar junto dos entes queridos de quem o trabalho nos afasta – tem feito os jovens tentarem outras saídas para esse quebra-cabeça. E mesmo que não a tenham encontrado, começaram por rechaçar a saída da geração anterior.

Reconhecer o sofrimento inerente à existência humana, que decorre do fato de termos consciência de nós mesmos e de nossa morte, é condição para aproveitar as coisas esporadicamente boas da vida. Pensar o sucesso para além dos ditames do consumo e do *status* financeiro pode nos ajudar a levar uma vida menos assombrada por um fracasso que sempre se apresenta diante de conquistas idealizadas.

Diante da depressão, ainda vale a palavra, pois embora os remédios possam debelar alguns sintomas eles não têm o poder de curar. O bom e velho diálogo é a melhor forma de entender do que padecemos tanto e nos ajuda a dar outro sentido às nossas vidas.

QUAL NOSSA FUNÇÃO, AFINAL?

Vivemos em um tempo promissor, por um lado, e incerto, por outro. Vemos grandes conquistas tecnológicas e transformações dos costumes, mas não temos como prever seus desdobramentos. O bom senso sugere que teremos usos nocivos e usos benéficos para as mesmas invenções e que mudanças de costumes trarão liberdade, alegrias, mas também conflitos e sofrimento. Diante de tantas mudanças, cabe perguntar o que não pode estar ausente no exercício da parentalidade em qualquer época. Quais as funções que não podem faltar na relação com o bebê, com a criança e com o adolescente para que tenhamos cumprido nossa parte como pais, mães ou cuidadores? Não há como esgotar o tema aqui, mas certamente é possível elencar o que é inegociável. Se precisássemos de todos os objetos e novidades que estão sendo alardeados como imprescindíveis, como os seres humanos teriam sobrevivido psiquicamente antes deles?

Resta a pergunta sobre o que, no cuidado com os filhos, estaria no mundo desde sempre. O que não pode faltar para que eles sigam crescendo e se desenvolvendo, independentemente da época, da cultura. Se não existisse um denominador comum, como explicaríamos nossa sobrevivência ao longo da história?

PAPEL OU FUNÇÃO?

Primeiro teremos que separar duas palavras que geram a maior confusão: papéis são uma coisa, funções são outra. Primeiro o papel, que é fácil de reconhecer. Quando dizemos que os pais são provedores financeiros e as mulheres devem se ocupar sozinhas dos filhos ou que os pais devem dividir as tarefas domésticas igualitariamente e a mulher deve trabalhar, estamos falando de costumes, ou seja, papéis. Os papéis mudam com o tempo e podem ser intercambiáveis. Mães africanas de sociedades tradicionais, por exemplo, se queixam de não terem oportunidade de ficar com seus filhos pequenos porque as avós e mulheres mais velhas monopolizam o cuidado com as crianças, como vimos no capítulo "Casais sobrevivem à chegada dos filhos?". Essas tradições são tão fortes que as crianças costumam chamar as mães pelo nome e as avós de mãe. Isso significa um certo papel junto à criança conforme os costumes locais.

A função é bem mais específica e diz respeito ao que é imprescindível para que uma criança se desenvolva da melhor maneira possível. É nela que vamos nos focar e é ela que responde sobre o que não poderia faltar.

Sem mais delongas, quais seriam, afinal, as funções imprescindíveis? Adianto que podemos reconhecer todas, ainda que algumas sejam bem paradoxais.

Tratar o bebê como um semelhante – Primeiro, temos que encarar o recém-nascido como se já fosse um ser humano psiquicamente formado. Ninguém precisa ser ensinado sobre como fazer isso. Explico. Quando você observa um adulto interagindo com um bebê, verá que ele fala pela criança e com a criança como se ela já entendesse tudo. É aquela conversa engraçada que os diretores de cinema aproveitaram na comédia dos anos 1980 *Olha quem está falando*, com John Travolta, na qual os pensamentos do bebê eram comunicados à plateia. Os adultos falam desse jeito com os bebês, sem que ninguém precise ensiná-los – aliás, seria contraproducente fazê-lo. O tom de voz modula em sons agudos e caretas exageradas com frases como "ah, você está com saudade da mamãe" ou "você não gostou que o papai está de barba". É óbvio que um bebê recém-nascido não sabe o que é saudade, tampouco barba, papai, mamãe... O que está em jogo aqui é tratar o bebê como se ele já entendesse e manifestasse desejo e opiniões. Supor que se está falando com um sujeito formado antes de ele ser formado de fato é imprescindível para que ele venha a se tornar um sujeito. É um paradoxo e funciona superbem, mas se trata de uma rua de mão dupla. Torcemos para que o bebê tenha potencial psíquico e orgânico para fazer essa importante virada. Os psicanalistas começaram a estudar esse fenômeno e os estudos mostraram que esse tipo de interação é fundamental. Em ambientes muitos depressivos ou psiquicamente adoecidos (guerras, privações extremas, abandono), os adultos tendem a ser incapazes de oferecer isso ao bebê e os danos podem ser irreversíveis. Lembremos que as crianças nunca devem ficar aos cuidados exclusivos de uma pessoa só porque isso a faria ser submetida às dificuldades de um único cuidador, seja ele pai, mãe ou outros. Mas essas situações são extremas e pouco frequentes.

Educação não é escola – A escola, como a conhecemos, só surgiu no começo do século XX, portanto, não precisamos dela para nos tornarmos seres humanos. A educação, por outro lado, existe para além da escola e diz respeito a algumas ferramentas que a criança precisa para se inserir adequadamente na comunidade. *Adequadamente* é uma boa palavra, pois se trata mesmo de se adequar. Implica aprender a língua comum de seu povo, a forma de comer, de limpar-se, de se comportar, os costumes e as regras que farão com que a criança possa circular em seu ambiente para além da família. Basta imaginar como seria se uma criança brasileira fosse criada apenas falando russo, comendo com as mãos ou fazendo as necessidades fisiológicas em público. Ela seria rejeitada por todo o grupo por não estar adequada ao seu meio. É função de pais, mães e responsáveis dar as ferramentas para que ela se emancipe deles e viva com autonomia. Quem educa o faz para lançar a criança no mundo e não para mantê-la dependente.

Transmissão geracional – Entre seres humanos, para além das características genéticas que se herda dos pais, temos uma história familiar que vem através de gerações e que, mesmo esquecida, ainda nos afeta. Sempre transmitimos algo aos filhos, queiramos ou não. Herdamos as histórias daqueles que cuidam de nós e é inevitável e desejável que isso aconteça. Mesmo se não contarmos que a criança é adotada, ou que houve a morte de um irmão que ela não chegou a conhecer, ou que a família tem uma história de infortúnio ou suicídio, essas experiências são transmitidas inconscientemente. Não há nada de esotérico ou mágico aqui. Somos sensíveis a reações, tons de voz, mínimas mudanças de expressão, palavras entrecortadas, lapsos de linguagem, que acabam por revelar subliminarmente que há algo de perturbador em determinados assuntos ou situações, ainda que não saibamos o que causa a perturbação. Não se trata de tentar impedir a transmissão, isso seria impossível, mas de reconhecê-la e admiti-la, evitando que ela se torne perturbadora para os filhos. Uma forma frequente de as crianças demonstrarem que algo enigmático foi transmitido, mas os pais não foram capazes de reconhecer, é fazendo um sintoma. Assim, teremos um distúrbio alimentar que pode estar relacionado a um histórico de bulimia escondido, ou a insônia associada à morte de algum parente que foi ocultada. Nem todo sintoma é ligado a um enigma inconsciente transmitido, mas vale a pena reconhecer que alguns casos podem ser solucionados com uma conversa sincera.

Dar nome e sobrenome – Junto com a herança inconsciente, as crianças precisam de um nome, nossa herança simbólica. Isso significa que antes de o bebê existir, seu lugar de filho o precede. Quando um homem e uma mulher têm um(a) filho/filha, ele/ela herda um nome e um sobrenome que o colocará dentro de certa filiação. Se ele for adotado, ganhará uma nova filiação com a qual se nomear. De qualquer forma, sempre deve existir uma rede de nomes e filiações que precede e recebe o(a) filho/filha. O nome implica direitos e deveres e nos coloca em determinado lugar social bem específico. A partir desse lugar, sabemos o que herdaremos, com quem poderemos ou não casar, com quem podemos ou não ter filhos e será definido nosso lugar no jogo social.

Apresentar a lei – É fundamental que a criança seja apresentada às leis, primeiramente como um fato a ser conhecido e aceito, ainda que ela não entenda o sentido delas: a lei é assim e pronto. Trata-se de aprender a obedecer mesmo sem ter condições psíquicas de questioná-la. Em seguida, a lei aparece como introjetada e reproduzível. A criança aplica a lei em si mesma e a cobra dos outros. Trata-se de uma fase mais legalista e rígida. Mais para frente ela deverá ser capaz de argumentar e fazer frente à lei que considerar arbitrária ou injusta. Essa fase é mais ética e corresponde a um salto desejável de autonomia. Esse processo é fundamental para que tenhamos uma sociedade mais justa, que observa as leis, mas as modifica, quando necessário. Ainda assim, ninguém está acima da lei, nem os pais.

Responsabilizar-se – A função implica assumir responsabilidades ao longo de todo o desenvolvimento dos filhos ou encontrar quem o faça em caso de nosso impedimento. Não se trata de manter a criança sempre limpa e bem vestida, mas de protegê-la e cuidar dela física e moralmente. É fundamental proteger a criança do mundo adulto, impedindo que ela tenha acesso a informações excessivamente complexas antes de ser capaz de julgá-las. Fisicamente, a criança também deverá ser cuidada, pois ela não está apta a fazê-lo sozinha. A responsabilidade pela criança vai desde sua dependência absoluta até a autonomia. Cada cultura estabelece os rituais que marcam o fim de cada período de crescimento.

Assim, teremos a prática de colocar a mão dentro de uma cabaça cheia de formigas como ritual de algumas tribos, por exemplo, para provar que o menino se tornou um homem. Em nossa cultura, os limites são mais tênues e deixam os pais confusos quanto a qual seria o momento a partir do qual se deve considerar os filhos autônomos. A escolaridade cumpre um pouco essa função em nossa época, mas pais e mães têm se tornado mais reticentes quanto a deixar os filhos seguirem suas vidas. A maturidade é uma combinação entre as competências de crianças e jovens, de um lado, e os desafios que eles são levados a assumir para ultrapassar fases, de outro. Trata-se de ir passando responsabilidades progressivamente aos filhos, cada vez que eles se mostrarem capazes de assumi-las, mesmo que de forma incipiente. O banho não sairá perfeito, mas é fundamental que a criança aprenda a se responsabilizar por sua higiene. Assim serão as lições de casa, a circulação no espaço público e outras atividades que ela deverá bancar. Se percebemos depois de algumas tentativas que a criança ainda não consegue assumir a responsabilidade proposta, podemos recuar até que surja uma nova oportunidade. O que não pode faltar na postura dos cuidadores é uma direção clara no sentido da autonomia. Quando apostamos que os filhos serão capazes de se emancipar, estamos dizendo que não somos melhores do que eles, apenas mais experientes. Aos poucos a balança vai pendendo para o outro lado, os pais se tornam velhos, os filhos passam a ser mais aptos a cuidar dos pais, invertendo a situação.

Amar – Amor e interesse são imprescindíveis para os seres humanos. Sem eles a criança não sobrevive mesmo que receba todos os cuidados físicos. Máquinas que alimentam, aquecem, embalam e mantêm limpo não são suficientes, porque o amor não é opcional na criação de humanos. Da parte dos adultos, o afeto é contingencial, ou seja, pode acontecer ou não. Então, é necessário se certificar que aqueles que assumem a criança serão capazes de oferecer-lhe isso. O amor pelos filhos requer tempo e convívio para acontecer e nada mais eficiente do que ter que cuidar deles para que nos apaixonemos. Filhos preenchem nosso amor-próprio e costumamos nos orgulhar de suas façanhas e nos envergonhar de seus erros, como se fossem nossos próprios erros e acertos, mas é importante que o amor não se restrinja aos momentos de orgulho e possa ser sustentando para além de nosso narcisismo.

QUEM EXERCE ESSAS FUNÇÕES?

As pessoas que assumem a responsabilidade sobre a criança precisam bancar as funções anteriormente descritas, sejam mãe, pai, avós, atendentes de orfanato ou outros adultos. O que, diga-se de passagem, não é nada fácil. A distinção de papel e função serve para entender por que as crianças podem ser criadas por outras pessoas que não os pais e se desenvolver com segurança e autonomia ou, ao contrário, ser criadas pelos pais e apresentar graves distúrbios. Assim, fica claro porque temos crianças saudáveis criadas em instituições, pelos avós, por um dos pais, por dois homens, por duas mulheres e outros, pois as funções foram bem sustentadas por essas pessoas, não importando os laços biológicos ou quem faz qual papel.

ELOGIO AOS
PAIS E ÀS MÃES

Ter filhos tem respondido às mais diferentes demandas: herdeiros de bens e títulos, mão de obra escrava ou assalariada, cuidados e sustento na velhice dos pais, golpe do baú, prova de virilidade, prova de juventude e poder, prova de feminilidade, enfim, a lista é grande. Nenhuma dessas motivações deixou de existir, mas os novos tempos, que têm sido encarados com críticas e descrédito, acabaram por forjar uma razão surpreendente. No momento em que os seres humanos parecem estar mais distantes dos valores humanistas, assolados pelo consumo e pela exploração uns dos outros, a parentalidade emerge com o propósito inédito de viver a experiência de acompanhar o crescimento e o desenvolvimento de outro ser humano. Não é inédito que pais e mães tenham aspirações humanistas diante da prole, geralmente expressas pela espiritualidade e até pela religião. Criar boas pessoas, bons fiéis, bons cidadãos está entre os objetivos de todas as culturas. Mas essa é uma geração de pais e mães que se debruça sobre o tema da educação, do ensino e da transmissão de forma consciente e como projeto pessoal. A preocupação e o prazer em repensar a melhor forma de criar filhos, melhor dizendo, o interesse genuíno pela formação das crianças suplanta em muitos casos a sensação de dever que as gerações anteriores tiveram ao lidar com essa tarefa. Embora tenhamos muitas distorções e dificuldades, é perceptível o valor e o sentido que se dá a essa extenuante dedicação que implica criar alguém e que diz respeito ao encantamento pelo humano.

Como profissionais, temos a necessidade de apontar questões, impasses e inquietações, mas também reconhecemos a quantidade de adultos verdadeiramente empenhados em ser melhores pais, mães e cuidadores. Seria injusto ignorar a valorização da intimidade, do diálogo e do respeito às diferentes etapas pelas quais passam os filhos que essa geração parental imprime. Não temos como categorizar gerações de pais e mães melhores ou piores, pois uma geração decorre da outra, num contínuo de ações e reações. Mas podemos, sim, apontar para as novas mentalidades que cada período engendra, suas qualidades, seus defeitos e seus limites. Os pais de hoje querem saber, querem amar e assumem os riscos desse investimento pessoal.

Lembremos que os casamentos por conveniência foram substituídos pelos casamentos baseados em laços afetivos. As relações ficaram mais frágeis porque as motivações privilegiaram o interesse amoroso no lugar de interesse econômico, social ou estabilidade. As novas liberdades podem ser assustadoras, com o gigantesco número de divórcios e pessoas solteiras, mas promovem relações que valorizam a intimidade e as trocas pessoais mais do que materiais. E qual seria a contribuição da parentalidade no século XXI para as próximas gerações?

Podemos criar os filhos para que formulem seu próprio desejo e o persigam. A autonomia passa a ser a busca não apenas da independência financeira, mas de algo que faça sentido para cada um deles. Desejo não é capricho e tampouco podemos realizá-lo inteiramente. Para a psicanálise, o desejo é o motor dos nossos atos ainda que possamos recusar conhecê-lo, assumi-lo ou realizá-lo. Podemos criar os filhos no sentido de serem sujeitos que desejam, caso contrário teremos depressão ou a alienação ao desejo do outro. Imagine um rei invejado por suas posses e condição de privilégios. Embora sua posição possa ser invejada, por ser herdada não responde necessariamente às aspirações íntimas de quem a herda. Basta uma volta rápida nos livros de História para que recolhamos inúmeros casos da miséria emocional a que estavam fadados alguns monarcas, cuja aspiração pessoal nunca é considerada. Mas eram gerações para quem essas questões nem sempre eram formuladas. A diferença é que hoje, se um príncipe branco quer se casar com uma mulher de ascendência negra, sua escolha será reconhecida como um avanço e não um escândalo, pois a marca do desejo singular será reconhecível nesse gesto. Podemos ajudar nossos filhos a serem aquilo que eles formularem como sendo próprio para eles. Não se trata de fazer crer que eles poderiam ser qualquer coisa, isso seria alimentar uma fantasia onipotente fora do mundo real, mas permitir que, dentro do espectro da realidade de cada um, algumas escolhas possam se basear no desejo a ser laboriosamente definido. Desejo que pode mudar ao longo da vida, mas que não deve perder seu caráter de mover o sujeito na direção da vida. Criamos os filhos para que formulem com autonomia e consequência seu próprio caminho.

Da mesma forma, pais e mães têm tentado conciliar a vida particular, a vida amorosa e a vida parental de uma forma inédita, colocando seus próprios desejos no epicentro de suas vidas sem abrir mão das responsabilidades junto aos filhos. O equilíbrio é difícil e deve ser repensado sempre que necessário. Homens e mulheres têm desistido da competição profissional para estarem mais junto aos filhos e às pessoas amadas ou têm bancado o desejo pelo investimento profissional privando-se de parte da vida familiar. São escolhas difíceis que devem ser bancadas junto com suas consequências, sem se pautar em regras rígidas como nas gerações anteriores.

Certamente as próximas gerações escolherão formas diferentes das atuais, porque é isso que cada geração faz com a anterior: responde fazendo uma nova aposta.

Sigamos apostando.

GRÁFICA PAYM
Tel. [11] 4392-3344
paym@graficapaym.com.br